HISTOIRES DU SOIR

pour les garçons

Copyright © Parragon Books Ltd
Queen Street House
4 Queen Street
Bath, BA1 1HE
Royaume-Uni

Textes : Derek Hall, Alison Morris et Louisa Somerville
Illustrations : Jeremy Bays, Natalie Bould, Lynn Breeze, Anna Cattermole,
Maureen Galvani, Mary Hall, Virginia Margerison, Paula Martyr,
Julia Oliver, Martin Orme, Sara Silcock, Gillian Toft, Charlie Ann Turner,
Kerry Vaughan, Jenny Williams et Kirsty Wilson

Réalisation : InTexte, Toulouse
Traduction de l'anglais : Chantal Mitjaville

ISBN : 978-1-4454-4683-7

Printed in China
Imprimé en Chine

HISTOIRES DU SOIR

pour les garçons

PaRragon

Bath • New York • Singapore • Hong Kong • Cologne • Delhi
Melbourne • Amsterdam • Johannesburg • Auckland • Shenzhen

Sommaire

Grand-mère jette un sort

Susie adorait sa grand-mère. Chaque jour, lorsque Susie rentrait de l'école, elle retrouvait sa grand-mère assise au coin du feu, en train de tricoter. La grand-mère travaillait si vite que ses aiguilles à tricoter étincelaient à la lueur des flammes.

« Tu sais, disait la grand-mère, que je suis une vraie sorcière ? »

Susie riait toujours en entendant ces mots. Sa grand-mère n'avait vraiment rien d'une sorcière ! Un sourire éclairait toujours son visage, elle avait un regard doux et ne s'habillait jamais en noir. Alors que sa grand-mère était occupée, Susie alla jeter un œil dans sa garde-robe, histoire de voir si elle n'y trouverait pas un balai ou un chapeau de sorcière. Mais elle ne découvrit rien, si ce n'est un grimoire.

« Je ne peux pas croire que tu sois une sorcière », dit Susie.

« Tu as tort, répondit sa grand-mère, Un jour je jetterai un sort. Tu t'en rendras compte lorsque tu verras mes aiguilles à tricoter bouger toutes seules. »

Depuis, Susie observait à chaque fois attentivement les aiguilles à tricoter de sa grand-mère, mais elle les trouvait toujours inanimées dans la corbeille à tricoter.

Un jour, alors que Susie jouait dans le jardin, elle entendit des pleurs. Le bruit semblait provenir des herbes, sous le vieil arbre planté dans le coin du jardin. Alors que Susie s'approchait, les sanglots s'intensifièrent, mais il semblait n'y avoir personne. Susie baissa les yeux et découvrit à ses pieds, assis sur un caillou couvert de mousse, un petit homme minuscule. Il était vêtu d'un élégant gilet de velours jaune et d'un pantalon court bouffant. Il portait une magnifique paire de brodequins à boucles et un tricorne orné d'une plume de paon coiffait sa tête secouée par les sanglots. Lorsque le petit homme aperçut Susie, il cessa de pleurer et commença par tamponner ses yeux, à l'aide d'un délicat mouchoir en dentelle.

« Que se passe-t-il ? » demanda Susie, en s'accroupissant.

« Oh, ma chère, ma chère ! hoqueta le petit homme. Je suis le tailleur d'une princesse de contes de fées qui m'a demandé de confectionner la robe longue qu'elle doit porter au bal ce soir, mais un elfe malfaisant m'a joué un tour et a transformé mes plus belles étoffes en ailes de chauve-souris. Je ne sais plus que faire et la princesse va être

7

très en colère contre moi. » Il se remit à pleurer de plus belle.

« Calme-toi, dit Susie. Je suis sûre de pouvoir t'aider.
Ma grand-mère a une boîte à couture remplie d'un
tas de chutes de tissu.
Je vais voir si je peux trouver deux ou trois choses
qui conviendraient pour une robe de fête. Je suis
sûre qu'elle ne jette rien – et puis, tu n'as
pas besoin de beaucoup », rajouta-t-elle.

Le petit homme semblait avoir retrouvé le sourire.

« Attends-moi ici, dit Susie. Le temps de
rentrer et de fouiller dans la boîte à couture. » Elle remonta
l'allée du jardin en courant et disparut derrière la porte
de la maison.

« Grand-mère, grand-mère ! » appelait Susie, tout en se dirigeant
vers le salon, où elle pensait trouver sa grand-mère en train de tricoter,
au coin du feu. Mais la grand-mère avait les yeux fermés
et murmurait tout bas. Son tricot était posé sur

ses genoux et ses aiguilles à tricoter bougeaient toutes seules, pendant que le fil de laine se déroulait.

Susie, stupéfaite, resta figée un moment. Une pensée lui traversa l'esprit : « J'espère que grand-mère n'est pas en train de jeter un mauvais sort. Je ferais mieux de retourner voir si le petit tailleur va bien. »

Elle se précipita dehors et remonta l'allée du jardin en courant.

Au pied de l'arbre, elle trouva le petit tailleur, assis au milieu d'une pile d'étoffes précieuses et de mousseline aux couleurs éclatantes.

« Je n'ai jamais vu d'aussi belles étoffes, jamais ! s'exclamait-il. Mais d'où viennent-elles ? À peine le temps de fermer les yeux pour sécher mes larmes, et en les ouvrant à nouveau, tout était là ! »

« Je ne sais pas, répondit Susie. Mais je pense que ma grand-mère doit y être pour quelque chose. »

« Je ne pourrai jamais assez la remercier, dit le petit tailleur. Je vais pouvoir confectionner la plus belle robe de bal de tout le royaume des fées. La princesse dansera toute la nuit, vêtue de la plus merveilleuse de mes créations. Je dois aussi te remercier, car c'est toi qui m'es venue en aide la première. Je serais ravi que tu puisses assister au bal. »

« Oh, merci beaucoup, répondit Susie. Je suis vraiment flattée. » Elle ne voulait pas faire de peine au petit tailleur, mais elle savait qu'elle ne pourrait pas répondre à cette invitation – elle était bien trop grande pour participer à un bal de contes de fées.

« Bien ! Il est temps que je me mette à l'ouvrage, dit le petit homme, en s'emparant d'une paire de ciseaux minuscules. À ce soir ! » lança-t-il, avant de disparaître.

Susie rentra. Sa grand-mère tricotait au coin du feu, comme d'habitude. Susie se demanda si elle ne venait pas de rêver. Tout paraissait si normal… Qui aurait pu imaginer qu'elle venait de rencontrer un tailleur de contes de fées ? Et que sa grand-mère venait de jeter un sort ?

Cette nuit-là, dans son lit, Susie se demanda si les fées se rendaient vraiment au bal. Elle aurait tant aimé pouvoir y assister ! Perdue dans ses pensées, elle entendit tout à coup un tapotement à sa fenêtre. Était-ce le petit tailleur qu'elle apercevait derrière les vitres – ou était-elle en train de rêver ? Au milieu de la nuit, elle se réveilla d'un bond. Elle perçut un cliquetis au pied de son lit.

« Grand-mère, c'est toi ? » demanda Susie.

« Oui, ma chérie, répondit la grand-mère. Je n'arrivais pas à dormir, alors j'ai repris mon tricot. » Les aiguilles à tricoter commencèrent à travailler toutes seules, l'heure était donc venue de jeter un sort.

« Quel est ton vœu Susie ? »

« Je… je… bégaya Susie. J'aimerais me rendre au bal des fées », murmura-t-elle.

« Alors tu iras, ma chérie », répondit sa grand-mère.

Tout à coup, Susie se sentit vaciller, mais un instant plus tard elle revint à elle et s'aperçut qu'elle était vêtue d'une sublime robe de bal et de minuscules ballerines de satin. Elle flottait en l'air, puis d'un battement d'ailes s'envola par la fenêtre, pour rejoindre le bal des fées.

Le matin suivant, Susie s'éveilla dans son lit. Avait-elle rêvé ? Cette fête, ce banquet, cet orchestre de grenouilles, cette danse avec un prince charmant ? Puis, elle aperçut quelque chose sous son oreiller. Vous devinez de quoi il s'agissait ? Une minuscule pièce de tissu, de la plus belle étoffe qui soit…

Le vilain petit canard

Il était une fois une cane qui pondit six merveilleux petits œufs.
Un jour, alors qu'elle veillait sur ses œufs, quelle ne fut pas sa surprise
de découvrir à côté de ses six petits œufs un septième œuf, bien plus
gros que tous les autres !

« C'est curieux », pensa-t-elle, tout en s'installant dans son nid
pour couver ses œufs.

Bientôt, l'une après l'autre, les coquilles des petits œufs
s'entrouvrirent et six adorables canetons jaunes en sortirent. Mais
le gros œuf n'avait toujours pas éclos.

La cane le couva un jour et une nuit de plus, jusqu'à ce que
le septième caneton finisse par voir le jour.

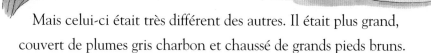

Mais celui-ci était très différent des autres. Il était plus grand, couvert de plumes gris charbon et chaussé de grands pieds bruns.

« Tu ne ressembles pas à mes autres poussins, lui dit la cane, mais peu importe, je suis sûre que tu as un cœur d'or. » Puis elle l'attira à elle pour le câliner, avec tous ses autres canetons. Effectivement, le petit canard était vraiment gentil et se montrait heureux de jouer avec les autres canetons.

Un jour, la mère conduisit ses canetons à la rivière, afin de leur apprendre à nager. L'un après l'autre, ils sautèrent à l'eau et se mirent à barboter. Mais lorsque le caneton gris s'élança, il se mit à nager merveilleusement, bien plus vite et bien plus gracieusement que ses frères et sœurs. Un sentiment de jalousie s'empara des canetons qui commencèrent à le rejeter.

« Tu es un vilain petit canard, lui lançaient-ils. Tu n'es pas des nôtres. » Alors que leur mère ne les regardait pas, ils s'empressèrent de le chasser.

La tristesse envahit le vilain petit canard qui s'éloigna en se dandinant à travers les champs. « Je sais bien que mes plumes ne sont pas aussi duveteuses et dorées que celles de mes frères et sœurs, pensait-il. J'ai peut-être un plumage gris sale et de grands pieds bruns, mais je vaux autant qu'eux – et je suis bien meilleur nageur ! » Il s'assit à l'abri d'un buisson et commença à sangloter. Tout à coup, un bruit terrible se fit entendre. Pan ! Pan ! C'étaient des coups de feu. Des hommes étaient en train de chasser le canard. Il eut à peine le temps de se cacher qu'un chien passa en courant tout près de lui, reniflant le sol.

Le vilain petit canard n'osait plus bouger. Il resta sous son buisson jusqu'à la nuit tombée et se décida à sortir lorsqu'il se sentit enfin en sécurité.

Il avançait dans la pénombre, sans savoir réellement où il allait, jusqu'à ce qu'il aperçoive une lueur briller au loin. La lumière venait d'une coquette maison qui semblait accueillante. Le vilain petit canard

jeta prudemment un regard à l'intérieur. Il vit un feu brûler dans l'âtre, une veille dame assise, avec une poule et un chat à ses côtés.

« Entre, petit canard, dit la vieille dame. Tu es le bienvenu. Si tu restes, j'aurai des œufs de canard et des œufs de poule chaque jour. »

Le vilain petit canard fut heureux de pouvoir se réchauffer près du feu. Lorsque la veille dame partit se coucher, le chat et la poule commencèrent à questionner le caneton.

« Tu ponds des œufs ? » demanda la poule.

« Non ! » répondit-il.

« Tu attrapes des souris ? » demanda le chat.

« Non ! » répliqua le pauvre caneton.

« Alors tu ne sers à rien ! » lancèrent les deux compères, moqueurs.

Le jour suivant, la vieille dame gronda le caneton : « Tu es ici depuis un jour et tu n'as pas pondu un seul œuf ! Tu ne sers à rien ! »

Le vilain petit canard quitta la fermette en se dandinant. « Je sais quand je ne suis pas le bienvenu », se dit-il plein de tristesse.

Il erra longtemps, jusqu'à ce qu'il finisse par atteindre un lac où, se dit-il, il pourrait s'installer sans que personne ne vienne l'embêter. Il vécut près du lac de longs mois. Mais peu à peu, les jours raccourcirent et les nuits s'allongèrent. Le vent fit tomber les feuilles des arbres. L'hiver s'installa et, avec lui, un froid glacial.

Le lac gela et le vilain petit canard grelottait sous les roseaux en bordure du lac. Il avait froid, il était affamé et désespérément seul, ne sachant où aller.

Le printemps finit par arriver, le temps se réchauffa et la glace du lac fondit. Le vilain petit canard sentit le soleil sur son plumage et décida qu'il était temps de retourner à l'eau. Il fila tout droit vers le centre du lac, là où l'eau était aussi limpide qu'un miroir. Il voulut contempler son reflet dans l'eau et n'en crut pas ses yeux. L'image que lui renvoyait ce miroir était celle d'un magnifique oiseau blanc, au long cou gracile. « Je ne suis plus un vilain petit canard, se dit-il, mais alors, que suis-je ? »

À ce moment-là, trois grands oiseaux, semblables à lui, passèrent au-dessus de lui en volant et atterrirent sur le lac. Ils nagèrent à sa rencontre et l'un d'eux lui dit : « Tu es le plus beau des cygnes que nous ayons jamais vu. Tu veux bien te joindre à nous ? »

« Ça alors ! Je suis un cygne, pensa l'oiseau qui jusqu'alors avait été un vilain petit canard. J'aimerais bien me joindre à vous », répondit-il.

« Je suis vraiment un cygne ? » ajouta-t-il, inquiet.

« Bien sûr que tu es un cygne ! répliquèrent les autres. Tu vois bien que tu nous ressembles, non ? »

Les trois autres cygnes devinrent ses meilleurs amis, et le vilain petit canard, qui était devenu un superbe cygne, les suivit sur les eaux du lac où ils vécurent tous ensembles. Il savait qu'il était l'un d'eux et que, désormais, il ne serait plus jamais seul.

Moustache

Moustache était un range-pyjama en forme de chat. Un magnifique range-pyjama ! La grand-mère de Susie l'avait confectionné pour sa petite-fille alors que celle-ci avait tout juste quatre ans. Il lui avait fallu du temps pour réaliser ce range-pyjama, baptisé Moustache. Elle avait passé de longues soirées au coin du feu à coudre minutieusement chaque pièce de tissu. Le corps de Moustache était en fin velours noir. Deux magnifiques perles de verre rouge formaient ses yeux. Il avait de longues moustaches et une queue touffue. Moustache était assis au pied du lit de Susie, veillant sur tous les jouets de la chambre, avec ce regard un peu hautain que les chats portent souvent sur les choses qui les entourent.

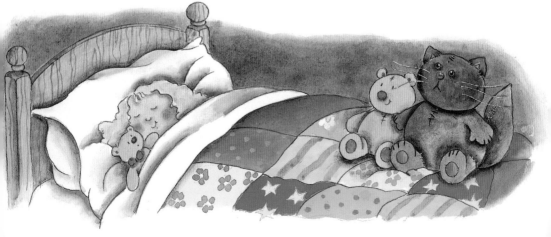

Lorsque Susie dormait ou jouait dans une autre pièce, Moustache et les autres jouets engageaient la conversation. Mais Moustache s'ennuyait. Céleste la poupée de chiffon n'était… qu'une simple poupée de chiffon. « Que pouvait avoir à raconter d'intéressant une poupée de chiffon à un range-pyjama comme lui ? » pensait Moustache.

Il y avait aussi Pony le cheval à bascule. Il était aussi agréable que peut l'être un cheval à bascule, mais il ne savait parler de rien d'autre que de sa beauté, et de la préférence que Susie semblait avoir pour lui. Les cubes de l'alphabet, le clown à ressort et le ballon coloré n'avaient pas non plus de choses à raconter qui puissent éveiller l'intérêt de Moustache. Il fixait désespérément la fenêtre, se demandant si la vie à l'extérieur n'était pas plus palpitante.

Un jour, il se décida à quitter la chambre et tous les jouets, pour partir à l'aventure,

et qui sait, rencontrer quelqu'un d'intéressant à qui parler. La nuit venue, alors que Susie dormait et que tout était sombre, il grimpa discrètement sur le rebord de la fenêtre ouverte de la chambre et sauta. La nuit était froide, éclairée par la lune. Moustache frissonna, surpris par la fraîcheur, mais aussi probablement un peu effrayé. En même temps, il se sentait excité à l'idée d'affronter le monde du dehors. Très vite il oublia le froid et sa peur.

Il avança le long de la clôture du jardin de Susie et sauta par-dessus, pour se retrouver dans le jardin du voisin. Il venait à peine de poser les pattes au sol, qu'il entendit un féroce grognement, puis aperçut deux gros yeux noirs, étincelants sous le clair de lune.

C'était Tommy, le chien des voisins – et il n'aimait pas du tout les chats. Tout en aboyant bruyamment, Tommy se lança à la poursuite de Moustache. Sa gueule était grande ouverte et Moustache distinguait nettement ses grandes dents pointues. Le pauvre Moustache se dit même qu'il pourrait bien sentir les crocs de Tommy s'il ne réagissait pas très vite. Il eut juste le temps de sauter par-dessus la barrière, avant que les mâchoires de Tommy se referment sur lui.

« Ouf ! C'était juste, se dit Moustache, essoufflé par sa course. Je n'imaginais pas que les chiens pouvaient être aussi peu accueillants ! »

Il se demandait où se rendre en toute sécurité, lorsqu'il entendit une petite voix sifflante derrière lui. « Hé toi, le chat de velours. Qu'est-ce que tu viens faire sur notre territoire ? » Moustache se retourna et aperçut le plus gros matou qu'il ait jamais vu de sa vie.

Derrière lui se trouvaient plusieurs de ses semblables. Tous
s'approchaient lentement de Moustache, leurs griffes affûtées,
prêtes à servir. Moustache n'hésita pas une seconde de plus.
Il s'enfuit en courant aussi vite qu'il put.

    Il était à présent tétanisé. De plus, il avait froid et mourait de
faim. Il aurait tant aimé à ce moment-là se trouver dans la chambre
chaude et douillette de Susie, en compagnie des autres jouets.
Le monde du dehors était peut-être trop palpitant pour lui pensait-
il, quand brusquement il perçut le bruit d'une camionnette
s'approchant. Soudain le véhicule s'arrêta, les phares braqués
sur le pauvre Moustache. Il put lire sur le côté de la camionnette
le mot FOURRIÈRE.

Un homme descendit du véhicule, avec un grand filet à la main. Moustache comprit très vite à quoi devait servir ce filet et décida de fuir sans attendre.

Sans penser au danger, ni aux risques à se retrouver nez à nez avec le gang des chats aux griffes acérées ou face à des chiens féroces, Moustache courut aussi vite qu'il put sur ses pattes de velours, en direction de la maison de Susie. Il finit par retrouver la fenêtre de la chambre et réussit à sauter à l'intérieur.

À nouveau blotti dans le lit chaud de la petite fille, entouré de tous ses amis, Moustache se dit qu'il s'agissait décidément du meilleur endroit au monde où passer une vie de chat range-pyjama.

L'ours chanteur

Il y a longtemps vivait un jeune garçon prénommé Pierre. Un gentil gars qui aimait toutes les créatures, et par-dessus tous les animaux et les oiseaux de la forêt. Il ne comptait plus le nombre de fois où il avait soigné l'aile cassée d'un geai ou délivré un blaireau pris au piège.

Un jour, des forains s'arrêtèrent dans sa ville, à la plus grande joie de Pierre. Il assista au montage des chapiteaux colorés et à l'arrivée de remorques au chargement bien mystérieux. Le jour de l'ouverture de la fête foraine, Pierre sortit avec un peu d'argent de poche, bien décidé à tenter sa chance. Il se rendit d'abord au jeu de massacre. Puis il essaya de grimper à un poteau enduit de graisse. Enfin, il dépensa ce qui lui restait de monnaie dans l'achat d'un billet de tombola. Il était sur le point de rentrer chez lui, lorsqu'il vit un spectacle épouvantable.

Allongé dans une cage, triste et désespéré, se tenait un gros ours brun. Le nom de l'animal était inscrit sur une petite plaque, à l'avant de la cage : Lombard. L'ours paraissait si abattu que Pierre se promit aussitôt de le libérer. La cage était solidement cadenassée et Pierre ne savait comment faire pour briser le cadenas. Il se décida à rentrer chez lui, alors que l'ours le suivait désespérément du regard.

Cette nuit-là, Pierre ne trouva pas le sommeil. Comment pouvait-il s'y prendre ? Il n'était pas assez fort pour briser les barreaux de cette cage et le propriétaire de l'ours n'accepterait probablement pas de le relâcher. Au beau milieu de la nuit, Pierre décida de retourner sur le champ de foire, afin de réconforter l'ours.

Il se glissa hors de son lit et regagna le champ de foire à la lueur de la lune. À son grand étonnement, il trouva l'ours en train de chanter, d'une voix merveilleuse la feuille de papier qu'il avait vu épinglée aux portes du palais de la ville.

Lucas

« Ne pleure pas, Lombard, lança-t-il à l'ours. Je pense savoir comment te faire sortir de là. Mais tu dois d'abord m'apprendre ta chanson. » L'ours fut si heureux qu'il s'empressa de lui apprendre sa chanson, et bientôt tous deux répétèrent en chœur.

« Bien ! dit Pierre. À présent je dois y aller, je reviens te voir demain. N'oublie pas, dès que tu m'apercevras tu te mettras à chanter. »

Le lendemain, Pierre revêtit ses plus beaux habits et se rendit au palais. Épinglé aux portes du palais se trouvait le papier que Pierre se souvenait avoir vu. On pouvait y lire : Le Roi a besoin d'un ménestrel à la voix claire. Postulez ici.

Pierre frappa à la porte. Il fut introduit dans une salle magnifique, aux murs tapissés d'or, où des ménestrels attendaient leur audition. Un courtisan agita une clochette pour demander le silence, puis le roi fit son entrée. Il prit place sur son grand trône d'or.

« Que les auditions commencent ! » s'écria le roi. Le premier ménestrel s'avança. Il chantait d'une voix douce et cristalline qui émut la cour jusqu'aux larmes. Le second ménestrel avait une voix profonde et grave qui donna des frissons à toute l'assemblée, au point même que les oiseaux dans les arbres s'arrêtèrent de chanter pour l'écouter. Le ménestrel suivant interpréta une chanson si gaie et pleine d'esprit que la cour éclata de rire.

Ce fut enfin le tour de Pierre. Il avança d'un pas, fit une profonde révérence et dit : « Je demande à votre Majesté l'autorisation de pouvoir

chanter à l'extérieur, afin que toutes les créatures de la forêt puissent m'entendre. »

« Quelle étrange requête ! » répondit le roi. Mais à vrai dire, le roi commençait à s'endormir après avoir écouté toutes ces chansons, plus douces les unes que les autres. Il pensa qu'un peu d'air frais lui ferait du bien. « Parfait, mais j'espère que cela en vaut la peine ! » dit-il, en jetant un regard sévère en direction de Pierre.

29

« Suivez-moi ! » dit Pierre. Il conduisit le roi, la cour et les ménestrels aux portes du palais, et tous s'engagèrent sur la route.

« Où allons-nous ? » – « C'est vraiment embêtant ! » entendait-on marmonner. Ils finirent par atteindre le champ de foire, mais Pierre poursuivit son chemin, jusqu'à ce qu'ils rejoignent la cage de Lombard. Lombard les aperçut et Pierre fit un clin d'œil à l'ours.

« C'est ici que j'aimerais chanter pour vous », dit Pierre au roi. Ce dernier fronçait les sourcils en regardant tout autour de lui. « Hé bien, je dois dire que c'est un curieux endroit ! Mais nous avons fait tout ce chemin pour t'entendre, mon garçon. À toi ! » ordonna le roi.

Pierre ouvrit la bouche et mima les mots, pendant que l'ours chantait, la plus belle chanson que l'on ait jamais entendue. À la fin de la chanson, le roi essuya des larmes de bonheur, mêlée de joie et de tristesse.

« Je n'ai jamais rien entendu d'aussi beau ! dit-il. Tu as remporté la compétition et j'aimerais t'avoir pour ménestrel. »

Pierre s'inclina à nouveau. « Sire ! répondit-il. J'accepterais volontiers, mais pour être honnête je dois vous dire que ce n'était pas moi qui chantais, mais mon ami, Lombard, l'ours. » Tout le monde eut le souffle coupé en apercevant l'ours dans sa cage.

Un moment le roi sembla furieux. Mais il se mit à sourire et dit : « Je te félicite de ta franchise Pierre, et j'accepte volontiers de prendre Lombard comme ménestrel. Chancelier, apportez-moi une bourse d'or. »

Le roi offrit au propriétaire de Lombard une belle somme d'argent et ce dernier accepta avec joie de rendre sa liberté à l'ours. Lombard devint le ménestrel du roi et sa célébrité fit le tour du pays. Désormais, Pierre se rendait tous les jours au palais et chantait en duo avec son ami, l'ours. On raconte qu'à la fin Pierre finit par épouser la fille du roi.

31

Le hamster goulu

Il était une fois un hamster prénommé Henry. Un hamster particulièrement goulu. Dès que la nourriture était placée dans sa cage, il se jetait dessus et la dévorait d'un trait, puis glissait aussitôt son petit museau entre les barreaux de sa cage, dans l'espoir d'attraper toute chose comestible se trouvant à sa portée. Depuis sa cage, il apercevait des tas de choses délicieuses sur la table de la cuisine – sans parler des odeurs ! Celle du pain à peine sorti du four suffisait à le rendre fou. Frustré, il se précipitait alors dans sa roue d'exercice et s'épuisait à tourner.

« Ce n'est pas juste ! » grommelait-il. « Ces idiots sont tous en train de manger sous mes yeux, et moi je suis là en train de mourir de faim ! » (Il n'aimait pas se souvenir qu'il venait juste de terminer un bon repas et qu'il avait déjà l'estomac bien rempli.)

« Si seulement je pouvais sortir de cette horrible

cage, je pourrais me régaler de toutes ces choses que je mérite »,
pensait-il, salivant à l'idée de ces délicieux morceaux de nourriture.

Une nuit, alors que toute la famille dormait, Henry décida
d'effectuer un dernier tour de roue, avant d'aller se coucher sur
sa litière de sciure. Alors qu'il était en train de tourner, il entendit
un grincement bizarre.

« C'est curieux ! pensa Henry. La petite fille a huilé ma roue
aujourd'hui. Elle doit sûrement avoir besoin d'être révisée. » Il arrêta
de courir et sortit de la roue, mais le grincement se faisait toujours
entendre. Henry s'assit et écouta attentivement. Tout à coup il réalisa
que ce bruit était celui de la porte de sa cage. La porte ! La porte était
restée ouverte. La petite fille l'avait mal refermée avant de partir au lit.
Henry fou de joie exécuta un petit pas de danse. Puis il se rendit à la
porte de la cage et s'assura qu'il n'y avait aucun danger à l'extérieur.
Tout semblait calme. La chatte somnolait sur sa chaise. Le chien
dormait par terre, en ronflant.

Henry le hamster n'était pas seulement gourmand, il était aussi très malin. Une fois sorti de la cage il commença par étudier le système de fermeture de la porte. Parfait ! Il était à peu près sûr d'avoir compris comment faire fonctionner le mécanisme de l'intérieur. Henry huma l'air. Des tas de restes succulents d'un repas d'anniversaire traînaient sur la table. Cela sentait le sucre glace. Dès que Henry fut sur la table, il s'empiffra de miettes de macarons et de gâteaux au chocolat. Une fois rassasié, il stocka au creux de ses joues des morceaux de biscuits au gingembre, puis rentra dans sa cage en courant et referma la porte.

« Bien ! se dit Henry. Désormais, je ne serai plus jamais affamé. » La nuit suivante, il sortit une fois de plus de sa cage pour manger, puis recommença la nuit d'après et ainsi de suite. Il festoyait en se gavant de tout et de n'importe quoi – noix, bananes, morceaux de pain, restes de confiture et miettes de pizza… À chaque fois, avant de retourner dans sa cage, il emplissait ses joues de plus en plus de nourriture. Il ne s'aperçut pas qu'il devenait de plus en plus gros, mais il prit conscience qu'il ne parvenait plus à courir dans sa roue d'exercice sans tomber. Une nuit, après avoir ouvert la porte de la cage, il constata qu'il était bien trop gros pour franchir le passage !

Henry resta un moment assis dans un coin de la cage, de très mauvaise humeur. Ses joues étaient encore gonflées du festin de la veille, mais le hamster goulu en voulait toujours plus. Il eut alors une idée. « Je vais demander à cette chatte paresseuse de m'aider » pensa-t-il. Il poussa une série de petits cris aigus, jusqu'à ce que la chatte, qui était en train de rêver de rats, s'éveille en sursaut.

« Que se passe-t-il ? » demanda-t-elle à Henry, qui lui exposa son problème.

« Mais bien sûr, c'est avec grand plaisir que je t'aiderai », répondit la chatte rusée, pensant à cette friandise qu'elle allait pouvoir s'offrir. Aidée de ses griffes robustes, elle parvint à tordre l'encadrement de la

porte, jusqu'à ce que Henry réussisse à s'y faufiler. Puis, d'un coup de patte agile et rapide, elle attrapa le hamster et le goba tout entier. Elle se sentait lourde, avec ce gros Henry dans son ventre, lui-même gavé de nourriture. Elle eut du mal à rejoindre sa chaise et s'endormit aussitôt, ronflant bruyamment, la gueule grande ouverte. Henry prisonnier dans son ventre ne se sentait pas très à l'aise. À chaque ronflement, il avait l'impression d'un tonnerre grondant dans ses oreilles.

« Il faut que je sorte de là », pensa-t-il. Il parvint à remonter dans la gueule du chat, mais il était bien trop gros pour passer entre ses mâchoires ouvertes. Il eut alors une autre idée. De là où il se trouvait, il pouvait apercevoir le chien allongé au sol.

Henry se mit à appeler « Au secours ! À l'aide ! » Le chien s'éveilla et fit face à un bien étrange spectacle. La chatte était allongée sur la chaise, en train de ronfler, mais elle semblait en même temps crier : « À l'aide ! » Le chien s'approcha, perplexe. En y regardant de plus près il aperçut une paire d'yeux perçants et de fines moustaches à l'intérieur de la gueule de la chatte. C'était Henry !

« Sors-moi de là, s'il te plaît », demanda Henry.

Parce que le chien n'aimait pas trop les chats, il accepta d'aider le hamster.

« Je vais glisser le bout de ma queue dans la gueule du chat. Tu t'y accrocheras pendant que je tirerai, dit le chien. Mais surtout ne fais pas de bruit, la chatte se réveillerait et mordrait sûrement ma queue ! » Le chien introduisit prudemment le bout de sa queue entre les mâchoires du chat, juste assez pour que Henry puisse s'y accrocher, à l'aide de ses petites pattes. Puis il tira de toutes ses forces. Henry fut extirpé de la gueule du chat, en même temps qu'il expulsa toute la nourriture qu'il avait stockée au creux de ses joues – cacahuètes, morceaux de pomme et même de la tarte à la confiture !

« Merci, merci ! » hoqueta Henry, tout en se précipitant dans sa cage et en refermant vivement la porte. « Je crois que désormais je resterai dans ma cage et que je me contenterai de la nourriture que l'on me donne ! »

Le garçon qui en voulait trop

Il était une fois un jeune garçon prénommé Paul. Un garçon
chanceux, aimé de ses parents, entouré d'amis et de jouets. Derrière
sa maison se trouvait un dépôt d'ordures. La mère de Paul
interdisait à son fils de traîner dans les parages, mais celui-ci avait
pris l'habitude d'observer ce qui se passait par la fenêtre. Cet
endroit le fascinait.

Un jour, alors que Paul observait une fois de plus
le dépôt d'ordures, son regard fut attiré par un
éclat doré. Au sommet d'une pile de
déchets, il aperçut une lampe en
cuivre. Paul connaissait
l'histoire de la lampe d'Aladin,
et il se demanda aussitôt si
cette lampe n'était pas elle
aussi magique. Lorsque sa
mère eut le dos tourné,
Paul se glissa à

l'extérieur par la porte du jardin, se précipita vers le tas d'ordures et récupéra la lampe.

Paul courut se réfugier dans l'abri de jardin. L'obscurité régnait à l'intérieur, mais le garçon parvenait à distinguer le doux éclat de la lampe entre ses mains. Lorsque ses yeux furent enfin habitués à la pénombre, il constata que la lampe était assez sale. Alors qu'il commençait à frotter le cuivre, un nuage de fumée s'échappa de la lampe et l'abri se remplit de lumière. Paul ferma aussitôt les yeux, mais lorsqu'il les rouvrit, il découvrit avec étonnement qu'un homme se tenait debout dans l'abri, paré d'or et de bijoux. « Je suis le génie de la lampe, dit-il. Serais-tu Aladin, par hasard ? »

« N… n… non, je suis Paul », murmura ce dernier qui n'en croyait pas ses yeux.

« Oh, je suis désolé, répondit le génie en fronçant les sourcils. On m'avait dit que le garçon à la lampe s'appelait Aladin. Mais peu importe ! Maintenant que je suis là, je peux exaucer trois de tes vœux. »

Paul était à ce point surpris, qu'il ne parvenait même plus à parler. Mais il commença à réfléchir. Qu'est-ce qu'il souhaitait le plus au monde ? Il eut une idée. « Mon premier vœu, dit-il, serait de pouvoir faire autant de vœux que je le souhaite. »

Le génie semblait être pris de court, mais il sourit et répondit « un vœu est un vœu. Qu'il en soit donc ainsi ! » Paul n'en croyait pas ses oreilles. Est-ce que tous ses vœux allaient vraiment être exaucés ? Il décida de commencer par un vœu vraiment important, au cas où le génie change plus tard d'avis. « J'aimerais avoir un porte-monnaie toujours rempli » dit-il.

Aussitôt dit, aussitôt fait. Il se retrouva avec un porte-monnaie contenant cinq pièces. Après avoir remercié le génie, Paul sortit en courant de l'abri et se précipita chez le marchand de bonbons. Il acheta un gros paquet de friandises et sortit une pièce de son porte-monnaie pour le payer. Puis il regarda à l'intérieur de son porte-monnaie et constata qu'il restait toujours cinq pièces. C'était magique ! Paul rejoignit l'abri de jardin pour le vœu suivant, mais le génie avait disparu. « Ce n'est pas juste ! » criait Paul en tapant du pied. Puis il se souvint de la lampe. Il s'en empara et commença à frotter le cuivre. Bien évidemment, le génie réapparut.

40

« N'oublie pas de partager ces friandises
avec tes camarades, dit le génie.

Quel est ton vœu Paul ? »

Cette fois-ci, Paul qui adorait
les sucreries demanda :
« J'aimerais avoir une maison
en chocolat ! »

À peine avait-il achevé
sa phrase qu'il découvrit dans
le jardin une maison
entièrement réalisée en chocolat.

Paul cassa un morceau de la porte et mordit dedans. Il n'avait
jamais goûté de chocolat aussi délicieux ! Paul en mangea encore et
encore, jusqu'à la nausée. Il s'allongea sur l'herbe et ferma les yeux.
En rouvrant les yeux, il constata que la maison en chocolat avait
disparu et qu'il se trouvait dans le jardin. « Ce n'est pas juste !
Je veux que ma maison en chocolat revienne ! » criait-il en tapant
du pied.

Paul rentra une nouvelle fois dans l'abri de jardin. « Cette fois, je
vais demander quelque chose qui dure plus longtemps »
pensa-t-il. Il frotta la lampe et le génie
réapparut. « Tu as du chocolat tout autour de la
bouche, lui dit le génie d'un ton désapprobateur.
Quel est ton vœu ? »

« J'aimerais avoir un tapis volant pour voyager à travers
le monde » répondit Paul. Aussitôt ces mots prononcés, Paul
se sentit soulevé de terre, embarqué sur un doux tapis. Le tapis
emporta Paul par-dessus les collines, les montagnes et les mers, jusqu'au
bout de la Terre. Il vit des chameaux dans le désert, des ours polaires au
pôle Nord et des baleines au large des océans. Mais Paul commençait
à avoir le mal du pays et demanda au tapis de le ramener chez lui. Il fut
bientôt de retour dans son jardin.

Paul se sentait tout-puissant. Il demanda de plus en plus
de choses.

Il voulut ne plus aller à l'école – et le génie exauça son
vœu ! Il voulut avoir un serviteur à sa disposition,
mais aussi un pâtissier qui lui prépare des
tas de sucreries – un serviteur et un
pâtissier furent aussitôt à sa disposition.
Paul se mit à grossir et devint de plus en

plus paresseux. Ses parents étaient désespérés par ces changements. Ses amis ne venaient plus le voir, exaspérés par sa vantardise.

Un matin Paul se réveilla, se regarda dans un miroir et éclata en sanglots. « Je me sens si seul et si malheureux ! » se lamentait-il. Il réalisa qu'il n'y avait qu'une chose à faire. Il courut vers l'abri de jardin, s'empara de la lampe et la frotta vigoureusement. « Tu ne sembles pas très heureux, dit le génie, en lui jetant un regard inquiet. Quel est ton vœu ? »

« J'aimerais que tout redevienne comme avant, gémit Paul. Et j'aimerais ne plus pouvoir faire de vœux ! »

« Sage décision ! répondit le génie. Qu'il en soit ainsi. Adieu, Paul ! » Sur ce, le génie disparut. Paul sortit de l'abri, et à partir de ce jour, la vie reprit son cours normal. Ses parents veillaient sur lui, il retourna à l'école et retrouva ses amis pour jouer. Mais Paul avait retenu sa leçon. Jamais plus il se montra vantard et partagea toujours ses bonbons et ses jouets.

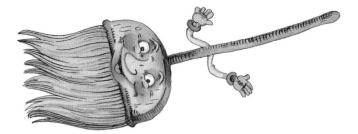

Le balai espiègle

« Mon Dieu, regardez-moi cette saleté sur le sol de la cuisine »,
se lamentait la domestique. Elle prenait son travail à cœur et ne
supportait pas la moindre poussière au sol. Dès qu'elle eut sorti le balai
de son placard, dans un coin de la cuisine, elle s'empressa de balayer
le sol, avant de ramasser la poussière à l'aide d'une grande pelle.

Malheureusement, des elfes vivaient aussi dans la cuisine. Ils étaient
bien trop petits pour être remarqués, mais si vous les dérangiez,
ils pouvaient se montrer particulièrement espiègles. Alors que la
domestique s'activait, elle balaya un coin sombre où les elfes s'étaient
réunis autour d'une table de banquet. Soudain, le roi des elfes fut éjecté
de son siège et projeté dans la pelle à poussière. Il fut ensuite expédié
avec tous les autres déchets dans le dépôt d'ordures.

Toussant et crachotant furieusement, le roi des elfes finit par escalader la montagne de déchets et se retrouva au sommet de la pile d'ordures. Il essuya la poussière qui lui bouchait les oreilles et le nez, retira une arête de poisson de son pantalon et tenta de retrouver sa prestance royale même au beau milieu d'un tas d'ordures.

« Qui a fait ça ? lança-t-il d'une grosse voix. Quelqu'un va le payer très cher ! » proféra-t-il.

Il finit par rejoindre la maison et regagna la cuisine. Les autres elfes l'observaient, en faisant tout leur possible pour ne pas éclater de rire. Le roi elfe était encore sale et couvert de poussière, avec des déchets collés un peu partout sur ses vêtements. Mais les elfes savaient qu'il valait mieux ne pas se moquer de lui, au risque que le roi leur jette un mauvais sort.

« C'est la faute du balai ! » lancèrent-ils en chœur.

« Bien, dit le roi. Je vais donc jeter un mauvais sort au balai. »

Le balai avait rejoint le placard. Le roi des elfes se dirigea vers le placard, et sauta à l'intérieur en passant par le trou de la serrure. Il pointa son doigt en direction du balai et prononça ces mots : « Chabi, chabo, chaba… va et sème le désordre ! »

Aussitôt, le balai se mit au garde-à-vous, frémissant sur ses franges. La nuit était tombée et tout le monde dormait dans la maison. Le balai ouvrit la porte du placard et sauta dans la cuisine. Il ouvrit la porte de la cuisine et sortit. Une fois dehors, il se dirigea vers la pile d'ordures et à coup d'habiles mouvements de franges, il dirigea un tas de déchets vers la cuisine. Boîtes de conserves, poussières, os de poulet et tout un tas d'autres déchets jonchèrent bientôt le sol de la cuisine. Le balai referma la porte de la cuisine, reprit le chemin du placard où il resta sans broncher, jusqu'au matin.

En pénétrant dans la cuisine, la domestique n'en crut pas ses yeux.

« Qui a pu faire ces cochonneries ? lança-t-elle. Si je m'aperçois que ce sont les chats… » dit-elle d'un ton menaçant. Elle empoigna le balai dans le placard et débarrassa le sol des ordures.

La nuit suivante, une scène identique se déroula. Alors que tout était calme et que chacun s'était endormi, l'espiègle balai sortit de son placard et ramena tous les déchets dans la maison. Cette fois, il y avait des têtes de poisson, de vieilles bouteilles et toutes les cendres de la cheminée.

La domestique resta interloquée. Après avoir tout nettoyé, elle alla voir le jardinier et lui demanda de brûler la pile d'ordures, afin que rien ne puisse être ramené à l'intérieur – même si elle ne comprenait toujours pas ce qui se passait.

Cette nuit-là, l'espiègle balai décida de semer le désordre de façon différente. Au lieu de ramener les ordures de l'extérieur, il s'appliqua à renverser tous les pots rangés sur les étagères. Les récipients s'écrasèrent au sol les uns après les autres, en répandant tout leur contenu.

« Arrêtez ça IMMÉDIATEMENT », hurla soudain une voix.

Le balai cessa aussitôt.

« Qu'est-ce que tu es en train de faire ? » fit entendre la voix. Une voix sévère qui venait d'une fée, se tenant près de l'égouttoir, mains sur les hanches. Le balai ignorait que dans une des bouteilles qu'il venait de renverser, les elfes avaient autrefois emprisonné une fée. Elle était à présent libre, le maléfice avait pris fin, et elle pouvait à son tour jeter un sort.

« Balai, balai, nettoie ce sol. Fais-le briller comme jamais. Trouve les elfes qui ont jeté ce sort et expédie-les dans le puits », ordonna-t-elle.

Le balai se mit au travail. Il balayait si vite que l'on avait du mal à distinguer ses franges. Il veilla à débarrasser chaque coin et recoin des moindres particules de poussière, emporta les tessons de bouteilles dans la pelle à poussière et jeta le tout dehors. Il revint dans la cuisine et envoya les elfes dans le puits, afin que jamais plus ils ne puissent commettre de nouveaux méfaits.

Le matin suivant, la domestique trouva une cuisine étincelante de propreté. Elle s'aperçut bien qu'il manquait quelques pots sur les étagères, mais ne chercha pas plus à comprendre ce qui s'était passé, trop heureuse de n'avoir à donner que de petits coups de chiffons par ci par là.

49

Le clown triste

Pibo le clown avait un problème. Les clowns sont supposés être des personnes heureuses, drôles et enjouées, mais Pibo était un clown triste. Rien ne semblait le faire rire.

À chaque fois que le cirque débarquait dans une ville, la foule se pressait à l'entrée du spectacle, dans l'espoir de passer un moment agréable. L'assistance vibrait en suivant le numéro des acrobates sur la corde raide et les performances des trapézistes s'élançant dans le vide. Le public s'enthousiasmait face aux prouesses des jongleurs, en équilibre sur une jambe. La foule adorait voir les superbes chevaux blancs parader sur la piste, avec les écuyers en équilibre sur leur dos. L'entrée des otaries était toujours accompagnée d'applaudissements. Tout le monde aimait ces animaux et leurs numéros d'adresse dont on ne se lassait pas.

Mais le clou du spectacle, et le personnage préféré des enfants, restait le clown. Vêtu d'un pantalon bouffant, deux fois trop grand pour lui, il pénétrait sur la piste, avec sa drôle de démarche. Tous se mettaient à rire en l'apercevant. Les rires s'amplifiaient lorsqu'il enfilait son grand chapeau mou, piqué d'une fleur qui ne cessait de tourner. Son maquillage était aussi comique.

Dès qu'il entamait son numéro, le public éclatait de rire. Sa bicyclette tombait en morceaux, alors qu'il essayait de pédaler autour de la piste. Puis il perdait le moteur de sa voiture, en même temps que son siège se renversait. Entre-temps, il recevait de l'eau froide sur son pantalon et chutait tête la première dans une piscine remplie de crème. Le public riait aux larmes.

Mais sous son maquillage, Pibo le clown ne riait pas. En réalité, il ne trouvait rien de drôle dans ces histoires de bicyclette en morceaux, de voiture qui vous projetait par terre, de seau d'eau froide renversé sur ses habits ou de visage barbouillé de crème. Il avait perdu tout sens de l'humour.

Tous les artistes du cirque décidèrent d'aider le clown triste à retrouver le sourire.

« Je sais ! dit l'acrobate trapéziste. Il faudrait lui faire un maquillage encore plus drôle. Cela devrait le faire rire. »

On modifia son maquillage, mais Pibo ne souriait pas plus et restait plongé dans sa tristesse.

« Exécutons notre numéro rien que pour lui ! » dirent les otaries.

Elles se dressèrent sur leurs tabourets et se lancèrent des balles colorées, battant en chœur des nageoires, en accompagnant leur prestation d'un bruyant concert de cris. Pibo ne souriait toujours pas. En fait, personne ne réussit à le sortir de sa tristesse.

C'est alors que Perceval, le maître de cérémonie, prit la parole. « Vous savez, je crois connaître l'origine du problème, dit-il. Il n'y a rien qu'un clown aime autant faire que de se donner en spectacle avec d'autres clowns. Si nous avions un second clown, Pibo retrouverait le sourire. »

Ils se mirent donc en quête d'un autre clown et embauchèrent Clovis.

Le cirque arriva dans une nouvelle ville. Le spectacle battait son plein. Ce fut bientôt au tour de Pibo et Clovis. Clovis entama son tour de piste à bicyclette, pendant que Pibo faisait semblant de laver sa voiture à coups de seaux d'eau. Bien évidemment, l'eau n'atterrit pas sur la voiture, mais sur Clovis qui passait juste à ce moment-là. Pibo esquissa un léger sourire à la vue du pauvre Clovis détrempé.

Dans le numéro suivant, Pibo et Clovis se retrouvaient en train de cuisiner. Pibo trébucha alors qu'il portait deux énormes tartes à la crème. Toutes deux finirent leur course sur le visage de Clovis. Pibo laissa échapper de petits rires en apercevant le visage barbouillé de crème de Clovis.

À la fin de leur représentation, les deux clowns jouaient les peintres en bâtiment, juchés sur une échelle. Bien entendu, comme vous le devinez, les échelles se renversèrent et les pots de peinture atterrirent sur leur tête. Pibo jeta un regard à Clovis, coiffé d'un gros pot de peinture. Clovis de son côté trouva son camarade tout aussi drôle, avec ses vêtements barbouillés de peinture. Le public jubilait – le numéro était encore plus comique avec deux clowns et les spectateurs applaudissaient à tout rompre sous le chapiteau où les rires fusaient. Après cette représentation, Pibo ne fut plus jamais un clown triste.

Le petit chaperon rouge

Il était une fois une petite fille à qui sa grand-mère avait offert
une adorable cape rouge. La petite fille adorait porter cette cape.
Elle l'aimait à tel point, qu'elle ne voulait jamais l'enlever.
C'est ainsi qu'elle fut surnommée le petit chaperon rouge.

Un matin ensoleillé, la mère du petit chaperon
rouge lui demanda d'aller porter une galette,
un petit pot de beurre et quelques biscuits
à sa grand-mère qui était malade.

Le petit chaperon rouge qui aimait sa grand-
mère accepta avec joie d'aller lui rendre visite.

« Ne traîne pas en chemin, lui dit sa mère. Elle
ajouta : « Rends-toi directement chez ta grand-
mère et ne t'arrête pas pour jouer dans la forêt. »

Le petit chaperon rouge promit d'obéir, dit au revoir à sa mère et se mit en route.

Sur le chemin menant à la maison de sa grand-mère, le petit chaperon rouge rencontra un loup qui passait dans la forêt. Le petit chaperon rouge qui ne savait pas qu'il s'agissait d'un animal redoutable engagea la conversation. « Bonjour, Monsieur le loup. »

« Bonjour, petit chaperon rouge, lui dit le loup. Où vas-tu donc ainsi ? »

« Je rends visite à ma grand-mère qui est malade et alitée », répondit le petit chaperon rouge.

« Qu'est-ce que tu transportes dans ton panier, petit chaperon rouge ? » demanda le loup.

« Une galette, un petit pot de beurre et quelques biscuits », dit le petit chaperon rouge.

« Mais où habite ta grand-mère ? » questionna
le loup.

« Dans la forêt, pas très loin d'ici, répondit
le petit chaperon rouge. Sa maison est facile
à trouver. Elle est à droite du lac. »

En réalité, le loup posait toutes ces questions
avec une seule idée en tête, dévorer le petit
chaperon rouge et sa grand-mère. Puis, il
échafauda un plan diabolique. « Petit chaperon
rouge ! dit-il, j'ai une idée ! Pourquoi ne pas
cueillir ces fleurs odorantes qui poussent dans
la forêt et les offrir à ta grand-mère malade ? »

« Quelle bonne idée ! répondit le petit
chaperon rouge. Ma grand-mère serait si heureuse
de recevoir un bouquet de fleurs. Je suis sûre
qu'elle se sentirait mieux ! »

Sur ce, elle se mit à confectionner un gros
bouquet, en cueillant les plus belles fleurs de la

forêt. Elle était à ce point occupée à ramasser des fleurs qu'elle ne s'aperçut pas que le loup rusé en avait profité pour s'éloigner, en direction de la maison de sa grand-mère.

Le loup arriva à la maison et frappa à la porte.

« Qui est là ? » dit la grand-mère.

« C'est moi, le petit chaperon rouge ! répondit le loup. Je t'ai apporté une galette et un petit pot de beurre. »

« Entre, entre, mon enfant, dit la grand-mère. La porte est ouverte. »

Le loup pénétra dans la maison et en apercevant la vieille dame couchée dans son lit se jeta aussitôt sur elle et la dévora. Puis il enfila

sa chemise de nuit et son bonnet de nuit, se glissa dans son lit et
remonta drap et couverture jusqu'à son menton. Le petit chaperon
rouge, qui avait confectionné un magnifique bouquet de fleurs pour
sa grand-mère, remontait en se pressant l'allée du jardin. La porte
de la maison était restée ouverte et la petite fille entra dans la
chambre de sa grand-mère. Le petit chaperon rouge ne distinguait

qu'une partie du visage de sa grand-
mère, enfouie sous sa
couverture.

« Grand-mère, que tu as de grandes
oreilles ! » dit le petit chaperon rouge.

« C'est pour mieux t'entendre mon enfant ! »
répondit le loup.

« Grand-mère, que tu as de grands yeux ! »
dit le petit chaperon rouge.

« C'est pour mieux te voir, mon enfant ! » répondit le loup.

« Grand-mère, que tu as de grandes mains ! » dit le petit chaperon rouge.

« C'est pour mieux te serrer contre moi ! » répondit le loup.

« Grand-mère, que tu as de grandes dents ! » dit le petit chaperon rouge.

« C'est pour mieux te dévorer, mon enfant ! » hurla le loup, en se jetant sur elle pour l'engloutir.

Le loup, rassasié après avoir dévoré la grand-mère et le petit chaperon rouge, se sentit gagné par le sommeil. Il décida de se mettre au lit et s'endormit, en ronflant bruyamment.

Un chasseur qui passait non loin de la maison entendit ces ronflements. Il jeta un œil par la fenêtre, vit le loup profondément endormi dans le lit et comprit aussitôt que ce dernier avait certainement dévoré la vieille dame. Alors que le loup dormait encore, le chasseur armé de son couteau entailla le ventre du loup. À son grand soulagement, le petit chaperon rouge et sa grand-mère en sortirent, juste un peu commotionnées. Fort heureusement, le chasseur était arrivé juste à temps et toutes deux étaient encore bien vivantes.

Le petit chaperon rouge et sa grand-mère remercièrent le chasseur qui les avait sauvées. Le chasseur dépeça le loup et rapporta la peau chez lui.

La grand-mère du petit chaperon rouge prit une part de galette avec un peu de beurre et trouva ce goûter délicieux. Elle goûta également les biscuits et se sentit aussitôt beaucoup mieux.

Et le petit chaperon rouge ? Elle décida de ne plus jamais adresser la parole à un loup !

Le trésor enterré

Jérôme habitait dans une grande et vieille maison, entourée d'un vaste jardin. La maison était assez sinistre et Jérôme préférait s'amuser dans le jardin. Il pouvait passer des heures à jouer au football sur cette pelouse envahie par les mauvaises herbes, à grimper dans les vieux pommiers du verger ou simplement à observer la mare, dans l'espoir d'apercevoir un poisson. Ce jardin était un merveilleux terrain de jeux, mais Jérôme n'était pas un enfant vraiment heureux. Il était seul. Il aurait tant aimé avoir quelqu'un pour jouer avec lui, un ami pour des parties de foot ou avec qui partir à la pêche. Bien sûr, il avait des camarades de classe, mais son école était loin de sa maison et ses copains qui trouvaient sa maison bien trop sinistre n'étaient venus qu'une seule fois lui rendre visite.

Un jour, Jérôme traînait dans le jardin, armé d'un bâton, à la recherche de petites créatures à étudier de plus près. Chaque fois qu'il dénichait une nouvelle créature, il commençait par la dessiner, puis cherchait son nom. Il avait ainsi découvert huit espèces d'escargots et six variétés de hannetons. Alors qu'il fouillait sous les feuilles, il découvrit un morceau de métal dépassant du sol. Il déterra l'objet et s'aperçut qu'il s'agissait d'une vieille clé, toute rouillée. Elle était assez grosse. Jérôme la débarrassa de la terre qui collait au métal, et découvrit que la clé était ornée de magnifiques motifs sculptés.

Jérôme rapporta la clé chez lui, afin de la laver et de l'astiquer. Il se mit en tête de trouver qu'elle était la serrure correspondant à cette clé. Il commença par essayer d'ouvrir la vieille porte du jardin, fermée depuis toujours, autant qu'il s'en souvienne. Mais la clé était trop petite pour la serrure. Puis il tenta d'ouvrir le coffre de l'horloge de son grand-père, dans le couloir. La clé ne correspondait pas. Il se souvint alors d'un vieux nounours qui battait du tambour lorsqu'on actionnait une clé. Jérôme n'avait pas touché à ce jouet depuis longtemps. Il tenta d'introduire la clé dans le dos du nounours, mais elle était trop grande.

Alors Jérôme eut une autre idée. « La clé ouvre peut-être quelque chose qui se trouve dans le grenier », se dit-il. Habituellement, il avait bien trop peur de se rendre seul dans ce grenier, véritablement effrayant. Mais cette fois, déterminé à trouver une solution au problème de la clé, il décida de braver sa peur et s'engagea dans l'escalier qui menait au grenier. Il grimpa les marches d'un pas assuré et ouvrit la porte. La pièce était à peine éclairée, poussiéreuse et pleine de toiles d'araignée. Les canalisations sifflaient et grinçaient. Jim frissonnait. Il commença par soulever quelques bâches poussiéreuses, ouvrit de vieilles boîtes, mais ne trouva rien qui nécessite une clé. Son regard fut attiré par un gros livre posé sur une étagère. Le genre de livre qui pouvait posséder une serrure. Jim souleva le livre qui était très lourd et le posa au sol. Sa main tremblait alors qu'il introduisait la clé dans la serrure. Elle rentrait parfaitement. Il tourna la clé et le loquet s'ouvrit, tout en libérant un nuage de poussière. Jérôme se frotta les

yeux, puis ouvrit délicatement le livre et commença à tourner
les pages.

Quelle déception ! Les pages étaient couvertes d'une écriture
minuscule et il n'y avait aucune image. Jérôme était sur le point de
refermer le livre, lorsqu'il entendit une voix. La voix venait du livre !
« Tu as percé mes secrets, disait-elle. Pose un pied sur ces pages si tu
cherches l'aventure. »

Jérôme gagné par la curiosité, se surprit en train de faire un pas
vers le livre. Dès qu'il eut posé le pied sur les pages, il traversa le livre
et se retrouva sur le pont d'un vaisseau. Il regarda en l'air et aperçut
un drapeau noir flottant en haut du mât et sur lequel étaient dessinés
une tête de mort et deux os croisés. Il était sur un bateau de pirates !
Il regarda ses vêtements et vit qu'il était habillé en pirate.

Le bateau avançait, toutes voiles dehors, lorsque Jérôme aperçut de
dangereux récifs à fleur d'eau – et ils fonçaient droit dessus ! Avant
d'avoir eu le temps de crier, le bateau s'échoua sur les récifs et les pirates
sautèrent par-dessus bord et nagèrent vers le rivage. Jérôme en fit autant.

L'eau était délicieusement chaude et lorsqu'il atteignit la plage, il sentit un sable chaud sous ses pieds. Il ne pouvait pas y croire ! Il se trouvait sur une île déserte. Les pirates partirent explorer l'île, à la recherche d'un abri. Jérôme cherchait de son côté, lorsque sous un rocher, il découvrit un livre. Le livre lui était familier. Il était sûr de l'avoir déjà vu ailleurs. Il réfléchissait encore lorsqu'il aperçut un des pirates s'approcher de lui en courant et en agitant un couteau. « Voleur, tu as dérobé mes rubis ! » hurlait le pirate d'une voix menaçante. Que pouvait faire Jérôme ?

Il entendit alors une voix l'appeler, venant du livre. « Dépêche-toi ! Saute dans mes pages. » Sans réfléchir à deux fois, Jérôme sauta à travers le livre et se retrouva aussitôt dans le grenier.

Jérôme examina attentivement la page qu'il venait tout juste de traverser. « Le pirate et le trésor volé » pouvait-il lire en haut de la page. Jim lut la page et se rendit compte qu'il s'agissait exactement de l'aventure qu'il avait vécue. Il tourna les pages, tout excité, pour revenir au sommaire, au début de l'ouvrage. Il lut tous les titres des chapitres.

Il lut *Voyage vers Mars*, puis *Le Château sous les mers*. Plus loin il vit écrit *La Voiture magique*, suivi de *Dans la jungle*. Jérôme était fébrile. Il comprit qu'il pouvait ouvrir le livre à n'importe quelle page et prendre part à l'aventure. Il lui restait ensuite à retrouver le livre et à traverser les pages pour revenir dans le grenier.

Après cette découverte, Jérôme vécut bien des aventures. Il se fit des tas d'amis dans chaque histoire et à chaque fois il réussissait à s'échapper, en retrouvant le livre à la dernière minute. Jérôme ne fut plus jamais seul.

Romain et le dragon

Il était une fois un jeune garçon prénommé Romain. Il vivait dans une maison ordinaire, avec une maman et un papa ordinaires, une sœur ordinaire et un chat ordinaire, baptisé Jasmin. En fait, tout dans la vie de Romain était si ordinaire, que le petit garçon souhaitait parfois que lui arrive enfin quelque chose d'extraordinaire.

« Pourquoi un géant ne vient pas aplatir ma maison sous son pied ? » se demandait-il, ou encore : « Si seulement un pirate débarquait et prenait ma sœur en otage ! » Mais chaque matin Romain s'éveillait et la vie reprenait son cours, comme le jour d'avant.

Un matin, Romain s'éveilla et sentit une drôle d'odeur dans la maison. Il regarda par la fenêtre de sa chambre, puis remarqua que la pelouse était labourée et noircie. De la fumée s'échappait de l'herbe, et il aperçut un peu plus loin des buissons en feu.

Romain se rua dans les escaliers, ouvrit la porte et se précipita dans le jardin. Il suivit les traces de fumée et d'herbe brûlée. Mais plus il avançait, plus le mystère s'épaississait. Rien ne pouvait l'expliquer.

Romain était sur le point de retourner chez lui et de tout raconter à sa mère et à son père, lorsqu'il entendit une sorte de halètement venant de sous les buissons. Il écarta doucement le feuillage de ses mains et découvrit une jeune créature. Une chose verte, à la peau écailleuse, avec une paire d'ailes et un long museau, plein de dents pointues. Régulièrement, une petite langue de flamme s'échappait de ses narines et brûlait l'herbe alentour. « Un bébé dragon ! » s'exclama Jérôme tout surpris. De grosses larmes s'échappaient des yeux jaunes du dragon et roulaient le long de ses joues écailleuses, en même temps qu'il battait désespérément des ailes en cherchant à s'envoler.

Lorsque le dragon aperçut Romain, il cessa de battre des ailes. « Oh, pauvre de moi ! sanglotait-il. Où suis-je ? »

« Où devrais-tu être ? » lui demanda Romain, en s'agenouillant dans l'herbe brûlée.

« Je devrais être au pays des Dragons, avec mes amis, répondit le dragon. Nous étions en train de voler tous ensemble, mais je ne réussissais pas à les suivre. J'étais fatigué et j'ai dû m'arrêter. Les autres, ne m'ont pas entendu appeler. Alors je me suis arrêté, pour reprendre ma respiration. Et maintenant je ne sais plus où je suis et si je reverrai mes amis un jour ! » En disant cela, le petit dragon se remit à pleurer de plus belle. « Je vais t'aider à retrouver ta maison », dit Romain, qui n'avait aucune idée de la façon dont il allait s'y prendre.

« Toi ? siffla une voix proche. Comment peux-tu l'aider ? Tu n'es qu'un petit garçon ! » Romain regarda autour de lui et à son grand étonnement aperçut Jasmin, assis derrière lui. « Je suppose que tu vas agiter une baguette magique, n'est-ce pas ? poursuivit Jasmin. Il te faut appeler un spécialiste. » Puis il tourna le dos à Romain et au bébé dragon, et commença à se lécher les pattes.

Romain n'en revenait pas. Il n'avait jamais entendu Jasmin parler auparavant. Il pensait qu'il s'agissait juste d'un chat ordinaire. « Qu'est… ce… que tu veux dire ? » bégaya-t-il.

« Eh bien, dit Jasmin, en jetant un regard à Romain par-dessus son épaule, je pense à un cheval qui pourrait nous aider. Suivez-moi. »

Romain et le bébé dragon – baptisé Flamme – suivirent Jasmin jusqu'à l'endroit où se tenait le cheval, en bordure d'un champ. Jasmin sauta par-dessus la barrière et appela le cheval. Puis il murmura à l'oreille du cheval. Le cheval réfléchit un moment, puis murmura à son tour à l'oreille de Jasmin. « Il dit qu'il a un ami de l'autre côté du bois qui pourrait nous aider ! » lança Jasmin.

« Mais comment ? » répondit Romain, en le fixant d'un air perplexe.

« Sois patient ! Suivez-moi, dit Jasmin en s'engageant à travers champs. Et demande à ton ami d'arrêter de tout brûler sur son passage ! » ajouta-t-il. Romain s'aperçut avec horreur que Flamme enflammait tout à chacun de ses pas.

« Je ne peux pas, lança Flamme, prêt à éclater à nouveau en sanglots. À chaque fois que je m'arrête de respirer, je commence à m'étouffer, et quand je recommence à respirer, je crache du feu. »

« Laisse-moi te porter », dit Romain. Il prit Flamme dans ses bras et courut rejoindre Jasmin. Le contact du bébé dragon était étrange. Son corps était froid et moite, mais de sa bouche sortait une fumée brûlante qui piquait les yeux de Romain.

Il courut à travers bois, sans perdre de vue la queue dressée de Jasmin qui les devançait. De l'autre côté du bois ils trouvèrent un autre champ, où se tenait un cheval. Mais ce n'était pas un cheval ordinaire. Romain s'arrêta brutalement et fixa ce cheval à la robe blanche comme neige, et dont la tête portait une longue et unique corne.

« Une licorne ! » s'exclama Romain à bout de souffle.

Jasmin était déjà en train de parler à la licorne. Il fit signe de la patte à Romain. « La licorne ramènera ton ami chez lui et tu peux l'accompagner, mais ne sois pas en retard pour le goûter, tu sais comment réagirait ta mère. » Sur ce, Jasmin s'éloigna.

« Montez ! » dit gentiment la licorne.

Romain et le bébé dragon grimpèrent sur le dos de la licorne. « Quelle aventure ! » pensait Romain. Peu à peu ils s'élevèrent, puis planèrent entre les nuages. Flamme serrait très fort la main de Romain avec sa petite patte moite. Enfin, Romain aperçut la silhouette d'une montagne à l'horizon. À présent, ils redescendaient à travers les nuages, puis la licorne atterrit au sommet de la montagne. « Ma maison ! » s'écria Flamme fou de joie. Plusieurs dragons se précipitèrent pour l'accueillir.

Ils semblaient plutôt amicaux, mais certains d'entre eux étaient vraiment très gros et l'un d'eux crachait même de grandes flammes.

« Il est temps pour moi de rentrer », dit Romain un peu nerveux, alors que Flamme sautait du dos de la licorne et se posait au sol. La licorne prit son envol et tous deux se retrouvèrent bientôt dans le champ de départ.

En descendant de la licorne, Romain se retourna pour la remercier, mais elle s'était transformée en un cheval ordinaire, dépourvu de corne. Romain traversa le champ et reprit le chemin de sa maison, mais il ne vit plus aucune trace de l'herbe brûlée. Il parvint devant chez lui et constata que la pelouse de son jardin était d'un vert éclatant. Romain était de plus en plus perplexe. « J'espère que Jasmin a une explication », pensa-t-il, alors que le chat passait en courant devant lui, pour rentrer à la maison. « Jasmin, j'ai ramené le bébé dragon chez lui. Mais que s'est-il passé avec l'herbe brûlée ? » lança-t-il. Jasmin ne dit pas un mot. Il fit mine d'ignorer Romain et s'enroula dans sa corbeille.

Mais alors que Romain avait le dos tourné, Jasmin lui lança un regard qui semblait dire : « Alors, tu as eu ton compte d'aventure ? »

Monsieur Écureuil
ne dort pas

C'était l'automne. Les arbres de la forêt perdaient leurs feuilles et l'air était glacial. Tous les animaux commençaient à se préparer pour l'hiver.

Une nuit, Monsieur Renard qui rentrait de la chasse dit à sa femme : « Il fait de plus en plus froid, et la nourriture commence à manquer. Nous ferions mieux de faire des réserves pour nous aider à affronter l'hiver. »

« Tu as raison », lui répondit sa femme qui regroupait ses petits dans leur tanière.

« J'aurai aimé partir à la pêche, dit Monsieur Ours, mais il me faut attendre le printemps prochain. » Il rejoignit son antre, referma la porte et scella l'ouverture.

« Bien, il est temps de prendre mes vacances au soleil ! annonça Madame Coucou, tout en lissant ses plumes. À l'année prochaine ! » lança-t-elle, avant de prendre son envol en direction du sud.

Madame Souris courait, la bouche pleine de paille. « Je suis pressée, dit-elle. Il faut que je finisse ma litière à temps, avant l'hiver. »

Bientôt, elle aussi se réfugia dans son nid douillet, en enroulant sa queue autour de son corps, pour se tenir plus chaud.

Désormais, seul Monsieur Écureuil n'était pas encore prêt. Il dansait dans son arbre, sautant d'une branche à l'autre, pourchassant sa queue. « Ha, ha, ha ! se vantait-il. Pourquoi me préparer pour l'hiver ? J'ai une belle réserve de noix, cachée pas loin d'ici, une queue bouffante pour me tenir chaud et, enfin, je ne me sens pas du tout prêt à dormir. » Il continua à jouer dans son arbre.

« Tu ne dors toujours pas ? » jappa Monsieur Renard.

« Va dormir ! » grogna l'ours.

« S'il vous plaît, un peu de calme ! » lança Madame Souris, tout en serrant un peu plus sa queue autour de ses oreilles.

Mais Monsieur Écureuil ne voulait toujours pas s'endormir. Pas le moins du monde. Il dansait et sautillait de plus belle, tout en criant aussi fort que possible : « Je M'AMUSE TANT ! »

L'hiver arriva. Le vent sifflait à travers les branches nues des arbres, le ciel avait viré au gris et le froid était à présent glacial. Puis il commença à neiger. Monsieur Écureuil passa un moment à faire des boules de neige

– mais il n'y avait personne sur qui les lancer, et il se sentit tout à coup bien seul. Le froid et la faim ne tardèrent pas à se manifester.

« Pas de problème ! se dit-il. J'ai de belles noix à manger. Mais voyons, où sont-elles enterrées ? » Il descendit de son arbre et se rendit compte de l'épaisseur de la couche de neige. Il arpenta la forêt, à la recherche de sa cachette, mais la neige avait recouvert le sol d'un manteau blanc uniforme, et il fut bientôt complètement perdu.

« Qu'est-ce que je vais faire ? gémit-il. Je suis transi de froid et affamé, ma belle queue bouffante est complètement trempée et en bataille. »

Tout à coup, il crut entendre une petite voix. Mais d'où venait-elle ? Il regarda autour de lui, mais ne vit personne. Puis il réalisa que la voix émanait de sous la couche de neige. « Dépêchez-vous ! disait la voix. Venez me rejoindre, mais creusez un chemin jusqu'à ma porte. »

Monsieur Écureuil commença à creuser frénétiquement avec ses pattes avant. Il découvrit un chemin menant à une porte, située sous la souche d'un arbre. La porte était entrouverte – suffisamment pour que Monsieur Écureuil puisse s'y faufiler, avec son corps svelte et à bout de force.

Il trouva une chambre douillette, chauffée par un feu de cheminée, au coin duquel était assis un elfe minuscule. « J'ai entendu aller et venir au-dessus de ma tête et j'ai pensé que quelqu'un avait peut-être

besoin de trouver un abri, dit l'elfe. Approche et réchauffe-toi près du feu. » Monsieur Écureuil ne se fit pas prier et bientôt une douce chaleur l'envahit.

« Ce n'est pas ma maison, tu sais, dit l'elfe. Je pense qu'il s'agit d'une pièce appartenant à un ancien repaire de blaireaux. J'étais perdu dans la forêt et, lorsque j'ai découvert cet endroit, j'ai décidé d'y rester jusqu'au printemps. Mais j'ignore si je parviendrai un jour à retrouver ma maison. » Une grosse larme roula le long de la joue de l'elfe.

« J'ai été un écureuil bien imprudent, dit Monsieur Écureuil. Si tu ne m'avais pas accueilli, je crois bien que je serais mort à l'heure qu'il est. J'ai une dette envers toi, et si tu m'autorises à rester jusqu'au printemps, je t'aiderai à retrouver le chemin de ta maison. »

« Tu peux rester, bien sûr, répondit l'elfe. Je suis heureux d'avoir de la compagnie. » Monsieur Écureuil s'installa, se servant de sa queue comme d'une couverture, et ne tarda pas à s'endormir.

Les jours et les nuits défilèrent, jusqu'à ce jour où l'elfe glissa la tête par la porte et s'exclama : « La neige a fondu, le printemps

est de retour ! Réveille-toi Monsieur Écureuil ! » Monsieur Écureuil
se frotta les yeux et regarda autour de lui. C'était donc vrai. Il y avait
des pans de ciel bleu et il entendait même un oiseau chanter.

« Grimpe sur mon dos, lança Monsieur Écureuil à l'elfe. Je vais te
montrer le monde. » Ils traversèrent la forêt, d'arbre en arbre, jusqu'à
ce qu'ils atteignent le plus grand des arbres.

« Accroche-toi ! » cria Monsieur Écureuil, alors qu'il grimpait à
travers les branches, pour finalement parvenir à la cime de l'arbre.

L'elfe ouvrit les yeux et s'émerveilla de ce qu'il voyait. Jamais il n'avait
contemplé un tel paysage. Aussi loin que portait son regard, s'étiraient
des montagnes, des lacs, des rivières, des forêts et des champs…

« Qu'est-ce donc reflet bleu argenté, là-bas au loin ? » demanda l'elfe.

« Mais c'est la mer ! » répondit Monsieur l'Écureuil.

Soudain l'elfe sauta de joie.

« Qu'est-ce que tu as ? » demanda Monsieur Écureuil.

« Je… je… je vois ma maison ! s'exclama l'elfe en pointant son doigt vers la vallée, en contrebas de la forêt. Je vois ma femme assise sur une chaise, au soleil. Il faut que je rentre Monsieur Écureuil. Merci de m'avoir montré le monde, je n'aurais jamais retrouvé ma maison sans toi. » Ils redescendirent de l'arbre et prirent la direction de la maison de l'elfe.

Monsieur Écureuil regagna son arbre.

« Où étais-tu passé ? » lui demanda Monsieur Renard.

« Nous t'avons cherché ! » lança Monsieur Ours.

« Je suis heureuse de te voir de retour », dit Madame Souris.

« Et moi donc ! répondit Monsieur Écureuil. J'ai été bien imprudent, mais j'ai compris la leçon. Et si nous organisions une fête ? J'ai une réserve de noix qui attendent d'être mangées ! »

Ainsi les animaux célébrèrent le retour du printemps. Monsieur Écureuil jura que jamais plus il ne se montrerait aussi stupide.

L'écharpe perdue

Kanga était très fière de son écharpe de laine rayée. Elle l'avait tricotée elle-même et en avait fait une identique pour son fils, Joe. Kanga avait l'habitude de parcourir le bush en bondissant, son écharpe flottant au vent, avec Joe, dont la tête dépassait de sa poche ventrale. Joe était à présent bien trop grand pour tenir dans cette poche, mais il portait toujours son écharpe et sautait aux côtés de sa mère.

Un jour, Kanga s'éveilla et s'aperçut que sa belle écharpe avait disparu. Elle la chercha partout, mais ne la trouva nulle part. Elle finit par partir à sa recherche dans le bush.

« Ne bouge pas ! dit-elle à Joe. J'essaierai de ne pas être trop longue. Je suis sûre de la retrouver très vite. » Kanga disparut

dans le bush en bondissant. Elle commença à chercher parmi les racines et sous les rochers.

Cela faisait un petit moment qu'elle cherchait, lorsqu'elle leva les yeux vers les branches d'un eucalyptus. Elle aperçut un koala. À cette heure-ci le koala aurait dû dormir, mais cette maman était en train de préparer un repas de feuilles d'eucalyptus pour ses enfants. Kanga l'observa et tout à coup n'en crut pas ses yeux. Le koala portait son écharpe, entourée autour du ventre. Puis Kanga remarqua avec horreur que le koala se servait du bout de l'écharpe pour essuyer des tasses !
« Koala ! appela Kanga. Qu'est-ce que tu es en train de faire ? »

Le koala s'interrompit et jeta un œil à travers les branches de l'eucalyptus, en direction de Kanga. « J'essuie mes tasses avec mon torchon, répondit le koala d'un ton endormi. Mêle-toi de ce qui te regarde », ajouta le koala en bâillant et en remontant vers le sommet de l'arbre.

La pauvre Kanga se sentait horriblement gênée. Comment avait-elle pu confondre le

83

torchon du koala avec son écharpe rayée ? Elle s'éloigna en bondissant et s'enfonça un peu plus dans le bush. Au bout d'un moment, elle finit par entendre le cri familier et rieur d'un martin-chasseur. « Je sais ! se dit Kanga. Je vais lui demander s'il n'a pas vu mon écharpe. Il aurait pu la repérer facilement depuis le ciel. » Kanga se dirigea en direction du cri et finit par trouver l'arbre où vivait le martin-chasseur. Elle scruta la cime de l'arbre et aperçu l'oiseau voletant à proximité. Kanga était sur le point de l'appeler, lorsqu'à nouveau elle n'en crut pas ses yeux. Le martin-chasseur tenait son écharpe dans son bec ! « Martin-chasseur ! » appela Kanga. « Qu'est-ce que tu es en train de faire ? »

« Je confectionne mon nid ! marmonna l'oiseau, dont le bec maintenait plusieurs plumes rayées. Mêle-toi de ce qui te regarde », ajouta-t-il plus distinctement. Il avait à présent rejoint son nid et s'appliquait à installer les plumes en place.

84

La pauvre Kanga se sentait horriblement gênée. Comment avait-elle pu confondre les plumes avec son écharpe rayée ? Elle s'éloigna en bondissant et s'enfonça un peu plus dans le bush. Au bout d'un moment, elle parvint à une vaste plaine et vit un émeu qui filait à vive allure, avec ses petits sur son dos. Alors que l'émeu passa devant elle, à nouveau Kanga n'en crut pas ses yeux. Les poussins étaient blottis dans son écharpe. « Émeu ! appela Kanga. Qu'est-ce que tu es en train de faire ? »

« Je mets mes petits en sécurité, répondit l'émeu qui jeta un regard vers le ciel, tout en pressant le pas. Et tu ferais mieux d'en faire autant », ajouta-t-il. Kanga réalisa qu'elle avait confondu les plumes rayées du dos des poussins avec son écharpe.

La pauvre Kanga était horriblement gênée. Comment pouvait-elle avoir commis une telle erreur ? Elle sentit alors quelques gouttes de pluie sur le bout de son nez. En levant les yeux au ciel, elle vit un gros nuage noir au-dessus de sa tête. Il n'y avait pas de temps à perdre – elle devait trouver un abri.

Elle se précipita en direction d'un bosquet, à la lisière de la plaine, et se retrouva en bordure d'un cours d'eau. Elle erra un moment au bord de l'eau, frigorifiée, trempée, fatiguée et désespérée. Puis elle s'allongea dans l'herbe mouillée, et finit par s'endormir. Elle frissonnait, tout en pensant à Joe. Elle espérait qu'il ne faisait pas de bêtises.

Soudain, elle ressentit un tapotement sur son épaule. Elle se redressa et vit un ornithorynque qui se tenait à ses côtés. « Je t'ai entendue, depuis mon terrier, dit l'animal en pointant son doigt en direction d'un trou, au niveau des berges. Tiens, j'ai pensé que tu aimerais te réchauffer un peu », ajouta-t-il.

« Mon écharpe ! » s'exclama Kanga.

« Oh, c'est le nom de cette chose ? Je suis désolé, dit l'ornithorynque. Je l'ai utilisé comme couverture pour mes petits. Il fait plutôt froid et humide dans mon terrier, tu sais », poursuivit-il, d'un air attristé.

« Où l'as-tu trouvée ? » demanda Kanga.

« Accrochée dans les buissons. Je sais, je n'aurai pas dû la prendre, mais elle était si jolie que j'ai décidé de l'offrir à mes petits, pour leur

tenir chaud », laissa échapper l'ornithorynque, qui commença
à sangloter.

« C'est bon, dit Kanga, ne pleure pas. Tu peux garder l'écharpe.
Tu en as plus besoin que moi. »

L'ornithorynque cessa de pleurer et laissa éclater sa joie. « Merci ! »
dit-il.

« Non, ne me remercie pas, répondit Kanga. J'ai compris la leçon.
Une écharpe ne mérite pas que l'on se mette dans un tel état et que
l'on se fâche avec ses amis. »

Kanga prit le chemin du retour, mais elle passa beaucoup de temps
à s'excuser auprès de chacun de ses amis. Lorsqu'elle raconta à l'émeu,
au martin-chasseur et au koala ce qui était arrivé, tous lui pardonnèrent.
Une fois de retour chez elle, Kanga se sentit mieux. Joe était là pour
l'accueillir. « Qu'as-tu fait en mon absence ? » demanda-t-elle à son fils.

« J'ai fait ça pour toi », répondit-il, en lui tendant une drôle écharpe,
confectionnée à l'aide de brindilles, de feuilles et d'herbes, mais Kanga
l'adorait déjà.

« Elle est bien plus originale que ma vieille écharpe », dit-elle,
en embrassant Joe très fort.

L'ours et le royaume des glaces

Il était une fois un roi qui régnait sur un pays lointain. Son royaume était paisible, ensoleillé, couvert de forêts luxuriantes et de prairies verdoyantes, sillonnées de rivières étincelantes. Le roi avait une fille qu'il adorait, et qui un jour prendrait sa place à la tête du royaume.

Au-delà de son royaume se trouvait un autre royaume, très différent. Un territoire glacé, balayé par le vent, aux plaines enneigées, bordant une mer de glace. Le soleil ne réchauffait jamais ce royaume, en proie à un hiver permanent. Quiconque s'y

aventurait était aussitôt transformé en un bloc de glace. À la tête de ce royaume se trouvait un ogre cruel, qui n'avait d'autre objectif que de conquérir les terres chaudes voisines.

Un jour, l'ogre cruel échafauda un plan, dans l'espoir de s'emparer du royaume qu'il convoitait. Il décida de kidnapper la fille du roi. Lorsque celle-ci pénétrerait dans le royaume des glaces, elle se

transformerait en bloc de glace. Entre-temps, le roi mourrait de peine, personne ne lui succéderait et l'ogre cruel s'emparerait du trône.

Ainsi, un beau jour, l'ogre cruel quitta son royaume et se mit en route, déguisé en marchand. Il transportait un grand sac contenant quelques vêtements et bijoux. L'ogre cruel arriva aux portes du château et demanda s'il pouvait montrer ses marchandises à la fille du roi. Elle l'accueillit et le conduisit dans une pièce du château, afin qu'il déballe sa marchandise sur une table. Mais alors qu'elle contemplait les vêtements et les bijoux, l'ogre cruel lui sauta dessus, l'enferma dans le sac et quitta le château.

Dès que la princesse sentit le froid piquant et pénétrant du royaume de l'ogre cruel, elle se transforma en un bloc de glace.

L'ogre cruel pensait qu'il n'y avait plus qu'à attendre que le roi meure de vieillesse ou d'une crise cardiaque, et son royaume serait à lui. Mais le plan démoniaque de l'ogre cruel fut déjoué par un courtisan du roi, qui avait tout compris. Le roi envoya ses troupes en direction du royaume des glaces, afin de retrouver sa fille. Dès que les soldats franchirent la frontière, ils se retrouvèrent transformés en blocs de glace.

Le roi était désespéré. Il semblait qu'il ne reverrait jamais sa fille adorée. Mais un jour, il eut une idée. Il fit savoir dans tout le pays que quiconque réussirait à sauver sa fille se verrait offrir tout ce qu'il désirait, dans les limites du pouvoir de sa majesté.

De nombreux aventuriers tentèrent de sauver la princesse, espérant par la suite demander sa main au roi ou bénéficier de l'octroi de richesses et de terres. Mais tous ceux qui pénétraient le royaume des glaces subissaient le même sort. Ils se transformaient en blocs de glace.

Un jour, l'ours de foire de la cour prit connaissance de la proclamation royale et demanda à parler au souverain. « Votre majesté ! dit l'ours. Je crois savoir comment délivrer votre fille, la princesse. »

« Quel est ton plan ? » demanda le roi.

« C'est un plan secret, Majesté, répondit l'ours. Mais si vous me faites confiance, je vous promets de ramener votre fille saine et sauve au château. »

Le roi accepta la proposition de l'ours. Toutes les autres tentatives avaient échoué, il n'avait rien à perdre. L'ours fut libéré de ses chaînes et il se mit en route sans attendre. Il marcha le jour et la nuit, puis finit par arriver à destination – dans un endroit froid et enneigé, où vivait son cousin. Un cousin qui ne lui ressemblait pas vraiment. L'ours de foire était petit et brun, son cousin grand et

blanc. Cet ours-là, protégé par une épaisse fourrure, aimait le froid et la neige. C'était un ours polaire.

L'ours de foire parla à son cousin et lui raconta ce qui était arrivé à la fille du roi. L'ours polaire accepta de lui porter secours. L'ours de foire ne pouvait pas attendre le retour de son cousin, sa maison de neige était bien trop froide pour lui. Il prit le chemin du retour et finit par regagner les terres du roi. De son côté, l'ours polaire partit seul à la recherche de la princesse.

Il se retrouva vite aux portes du royaume des glaces. Un vent glacial soufflait, mais son épaisse et chaude fourrure le protégeait du froid. Une redoutable tempête de neige se leva, mais l'ours polaire se débarrassa vite de la neige en s'ébrouant. L'ours polaire poursuivit son chemin, jusqu'à ce qu'il atteigne le château de l'ogre cruel.

L'ogre ne s'attendait pas à ce que quelqu'un puisse pénétrer son royaume, sans être aussitôt transformé en un bloc de glace. Ainsi, il ne fermait jamais les portes du château. Alors que l'ogre ronflait

dans sa chambre, l'ours polaire inspecta furtivement les pièces du château. Il découvrit enfin la princesse gelée. Il la souleva délicatement et s'apprêtait à partir, lorsque l'ogre s'éveilla.

Alors que l'ogre tentait de reprendre la princesse, l'ours polaire lui assena un puissant coup de patte. L'ogre cruel tomba à terre, mort. L'ours polaire transporta la princesse loin du royaume des glaces. Dès qu'ils atteignirent les terres chaudes du roi, la princesse revint à la vie.

Tous se réjouirent du retour de la princesse et la première chose que fit le roi fut d'appeler l'ours de foire.

« Tu as tenu ta promesse, dit le roi, à mon tour de tenir la mienne. Quel est ton souhait ? »

« Tout ce que je souhaite, votre majesté, c'est d'être libre d'arpenter les forêts de votre royaume. »

Le roi exauça son vœu sans attendre. À l'ours polaire il donna en récompense le royaume des glaces. Ce domaine si froid lui convenait si bien !

Jack et le haricot magique

Il était une fois une vieille femme, qui vivait avec son fils unique,
Jack, dans une humble ferme, dressée dans une clairière, au beau
milieu d'une forêt de sapins. La vieille femme et son fils étaient
pauvres, et s'appauvrissaient un peu plus chaque hiver. Après un
hiver particulièrement cruel et rigoureux, alors que sol avait gelé,
la vieille femme se tourna vers son fils et lui dit :

« Jack, il ne nous reste plus qu'une seule chose à vendre. Demain,
tu conduiras notre vieille vache brune au marché et tu la vendras
à l'abattoir – c'est la seule solution pour nous sauver de la famine,
alors essaie d'en tirer un bon prix ! »

Marché

Le matin suivant, Jack alla chercher la vieille vache brune et prit la route conduisant à la ville.

À mi-chemin, Jack fit une halte, le temps de croquer dans un quignon de pain. Un fermier qui passait s'arrêta pour engager la conversation. Jack lui dit où il se rendait et pourquoi.

Le fermier regarda la vieille vache brune, puis se gratta le menton, pensif. Il mit sa main à la poche et dit à Jack :

« Je t'échange ces haricots secs contre ta vieille vache brune. »

Jack jeta un œil aux haricots dans la main du fermier et secoua la tête.

« Je suis désolé, dit-il, mais je dois conduire la vieille vache brune au marché pour la vendre, afin que ma mère et moi puissions acheter du pain. »

Le fermier promit à Jack que ces haricots secs représenteraient pour lui le début de la fortune. Jack se laissa convaincre et rentra, avec les haricots secs dans ses poches.

95

De retour chez lui, il raconta son aventure à sa mère qui poussa de grands cris lorsque Jack lui dit qu'il avait échangé la vieille vache brune contre quelques haricots secs. Elle prit les haricots des mains de Jack et les jeta par la fenêtre, furieuse.

Le jour venait à peine de se lever, lorsque Jack, déjà réveillé, découvrit devant sa fenêtre la tige d'un haricot géant qui avait germé et poussé durant la nuit. Il descendit les escaliers en courant et sortit contempler le pied de haricot – il était bien plus grand que les plus hauts sapins de la forêt et sa cime disparaissait dans les nuages.

Jack décida d'escalader la tige. Il grimpa si haut, que lorsqu'il se pencha pour regarder en bas, l'humble petite ferme se réduisait à un point minuscule. Il ne parvenait pas encore à distinguer la cime du haricot, et il décida de grimper encore. Il traversa des nuages et fut stupéfait de découvrir au sommet de la tige un pays très différent de celui qu'il avait laissé en bas.

Tout était IMMENSE. Les arbres étaient géants, l'herbe arrivait à hauteur d'épaule de Jack et au loin se profilait la silhouette d'un château monumental.

Alors que Jack s'apprêtait à rejoindre le château, il entendit un bruissement assourdissant dans l'herbe, juste derrière lui. Il se retourna et aperçut une incroyable géante qui le dominait.

« Humm – il n'y a pas beaucoup de viande sur ces os. dit-elle. Je ne vais donc pas te dévorer. Mais, tu vas venir chez moi et tu me serviras de domestique. »

Sur ce, elle attrapa Jack, le glissa dans la poche de son tablier et le ramena dans son château. En chemin, elle demanda à Jack de ne pas se montrer à son mari, le géant.

« Il a transformé mon dernier domestique en confiture et il attend le prochain, pour en faire du pain », dit-elle assez calmement.

Jack sentit bientôt le sol et le château trembler à l'approche du géant. Il se cacha derrière la trappe à charbon.

« Greuhhh ! grogna le géant. Je sens l'odeur d'un enfant par ici. Qu'il soit mort ou vif, je lui briserai les os pour en faire du pain. »

« Ne sois pas idiot ! lui lança la géante. Tu ne changes jamais de chaussettes, et ce que tu sens, c'est l'odeur de tes pieds ! »

Satisfait de cette réponse, le géant s'assit et commença à compter son argent. Jack jeta un coup d'œil furtif dans la salle, depuis sa cachette, et aperçut une montagne de pièces d'or, empilées sur la table. Le géant remit ensuite toutes ses pièces dans une bourse, puis posa ses pieds sur la table, et finit par s'endormir.

Dès qu'il perçut de sonores ronflements, Jack sut qu'il était en sécurité. Il s'aventura sur la table. La bourse était à sa portée et Jack l'attira vers le rebord de la table, jusqu'à ce qu'elle tombe avec fracas au sol.

Le géant dormait toujours.

Jack redescendit de la table et traîna la bourse sur le sol du château, puis à travers la prairie, puis le long de la tige de haricot, jusqu'au sol.

Jack rentra chez lui et montra son trésor à sa mère, qui l'accueillit folle de joie et lui fit promettre de ne jamais plus remonter le long du pied de haricot.

Mais Jack décida de retourner au château, à la recherche d'autres trésors. Le matin suivant, il s'habilla, descendit les escaliers et se dirigea vers le pied de haricot, prêt pour une nouvelle ascension.

Cette fois-ci, avant de quitter la maison, il noua un foulard bleu autour de sa tête et se frotta le visage de suie. Il parvint une fois de plus à la cime du pied de haricot et rencontra la géante qui ne le reconnut pas.

Comme la dernière fois, elle attrapa Jack et le glissa dans la poche de son tablier. Elle le mit en garde contre le géant.

Une fois de plus, le château trembla à l'approche du géant.

« Greuhhh ! grogna le géant. Je sens l'odeur d'un enfant par ici. Qu'il soit mort ou vif, je lui briserai les os pour en faire du pain. »

« Quel idiot ! dit la géante. Cette odeur est celle des poux que tu as dans les cheveux qui ne sont jamais peignés ! »

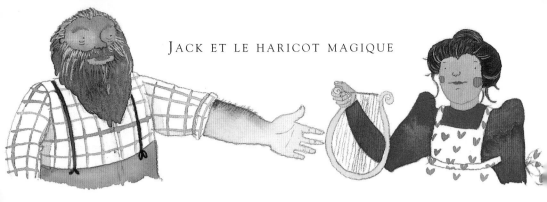

Une nouvelle fois, satisfait de la réponse, le géant s'assit et demanda à ce qu'on lui apporte sa harpe.

Dès qu'il pinça les cordes de l'instrument, il se mit à chanter d'une voix claire de soprano ! Mais il ne tarda pas à sombrer dans un profond sommeil, affalé sur la table.

Jack qui souhaitait s'emparer de cette sublime harpe n'attendit pas les ronflements du géant. Il grimpa sur la table, posa ses mains sur la harpe et tenta de la dérober, au nez et à la barbe du géant endormi. Malheureusement, la harpe émit cri déchirant :

« Au secours ! À l'aide ! On est en train de me voler ! »

Le géant s'éveilla. Il poussa un terrible grognement :

« Greuhhh ! Je sens l'odeur d'un enfant par ici. Qu'il soit mort ou vif, je lui briserai les os pour en faire du pain. »

Il se lança à la poursuite de Jack. Mais le géant n'était pas aussi agile que lui et Jack parvint à s'échapper du château, à traverser la prairie et à atteindre la cime du pied de haricot, alors que le géant était à ses trousses.

Jack redescendit aussi vite que possible, mais le géant n'était pas loin. Peu à peu, le géant se rapprochait de Jack. Alors que Jack touchait presque le sol, il appela sa mère en criant et lui demanda de lui apporter la hache. Jack sauta et atterrit par terre, puis s'empara de la hache et commença à attaquer furieusement le pied de haricot. Le géant les avait presque rejoints lorsque le pied de haricot s'écrasa au sol – directement sur le géant !

De lui il ne restait plus rien !

Riches de leurs pièces d'or, Jack et sa mère n'eurent plus jamais à se soucier de questions d'argent.

Les trois petits cochons

Il était une fois trois petits cochons. Ils vivaient dans une ferme, avec leur mère et leur père, mais décidèrent un jour qu'ils étaient assez grands pour partir à la découverte du vaste monde. Prêts pour l'aventure, ils se mirent donc en route.

Ils marchaient déjà depuis un certain temps, lorsqu'un des petits cochons commença à se sentir fatigué. Au même moment passait un fermier menant une charrette remplie de foin.

« Hé ! Arrête-toi ! lança le premier petit cochon. Vous, mes frères, qui êtes plus forts que moi poursuivez votre route ! dit-il. Ce foin est assez léger et souple pour que je puisse bâtir ma maison. » Ses frères laissèrent le petit cochon avec son tas de foin et poursuivirent leur voyage.

Un peu plus loin sur la route, le deuxième petit cochon se sentit très fatigué. Passa alors un bûcheron qui venait de couper du bois.

« Me vendrais-tu un peu de bois ? lui demanda le deuxième petit cochon. Ce bois n'est ni trop lourd, ni trop rugueux pour construire ma maison – il est parfait. »

Sur ce, le troisième petit cochon poursuivit son voyage. Mais bientôt, il se sentit à son tour très fatigué. Un peu plus loin, un maçon était en train de monter un mur de pierre.

« Bien ! pensa le troisième petit cochon. Voilà ce qu'il me faut pour bâtir ma maison, quelque chose de solide et fort, comme moi. » Il acheta des pierres et construisit lui-même sa maison.

Le soir venu, alors que le premier petit cochon était confortablement installé dans son lit de paille, il entendit un grondement à l'extérieur de sa maison. Il parvint facilement à écarter le foin de ses pattes, pour observer ce qui se passait à l'extérieur. Il eut un sursaut de frayeur lorsqu'il aperçut le grand méchant loup qui le dévorait des yeux.

« Petit cochon, petit cochon, tu veux bien me laisser entrer ? »

« Non, non, par le poil de mon menton, je ne te laisserai jamais entrer », lança en frissonnant le premier petit cochon.

« Alors, je vais gonfler mes joues, puis souffler sur ta maison et elle s'envolera ! » dit le grand méchant loup.

Le loup gonfla ses joues et souffla sur la maison de paille, qui s'envola sans résister. Le petit cochon s'enfuit aussi vite qu'il put et trouva refuge dans la maison proche de son frère.

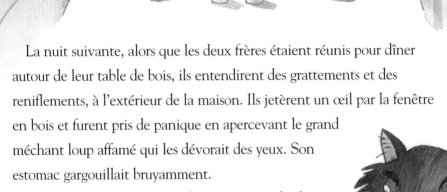

La nuit suivante, alors que les deux frères étaient réunis pour dîner autour de leur table de bois, ils entendirent des grattements et des reniflements, à l'extérieur de la maison. Ils jetèrent un œil par la fenêtre en bois et furent pris de panique en apercevant le grand méchant loup affamé qui les dévorait des yeux. Son estomac gargouillait bruyamment.

« Petits cochons, petits cochons, vous voulez bien me laisser entrer ? »

« Non, non, par le poil de nos mentons, nous ne te laisserons jamais entrer », répondirent en tremblant les deux petits cochons.

« Alors, je vais gonfler mes joues, puis

souffler sur votre maison et elle s'envolera ! » dit le grand méchant loup.

Le loup gonfla ses joues et souffla sur la maison de bois, qui s'envola sans résister. Avant que les planches de bois ne retombent à terre, les deux petits cochons s'enfuirent, en courant aussi vite que leurs petites pattes le leur permettaient, et trouvèrent refuge dans la maison proche de leur frère.

La nuit suivante, alors que les trois petits cochons s'apprêtaient à allumer un feu pour se réchauffer les pattes, ils entendirent des craquements et des bruits sourds à l'extérieur de la maison. Le troisième petit cochon retira un petit caillou du mur, de façon à observer ce qui se passait par un œilleton. Ils hurlèrent tous les trois de terreur en apercevant le grand méchant loup qui les fixait avec voracité. Son

estomac gargouillait plus fort que jamais, il grinçait des dents et la bave
lui pendait aux babines, à la vue du repas qui l'attendait à portée !

« Petits cochons, petits cochons, vous voulez bien me laisser entrer ? »

« Non, non, par le poil de nos mentons, nous ne te laisserons jamais
entrer », répondirent en tremblant les trois petits cochons.

« Alors, je vais gonfler mes joues, puis souffler sur votre maison
et elle s'envolera ! » dit le grand méchant loup.

Le loup gonfla ses joues, prit une profonde inspiration et souffla
de toutes ses forces sur la maison de pierre. Mais la maison résista.
Il gonfla à nouveau ses poumons, inspirant le plus possible, puis
souffla encore plus fort. Mais la maison ne cédait pas !

Le grand méchant loup escalada le mur de pierre pour atteindre la cheminée, sur le toit. Les trois petits cochons firent le tour de la pièce aux murs de pierre et échangèrent un regard désemparé – il n'y avait nulle part où se cacher et nulle part où fuir. Allaient-ils rester et se battre avec le grand méchant loup ?

Soudain, un des petits cochons eut une idée et chuchota à l'oreille de ses frères. Ils se précipitèrent tout près de la cheminée et suspendirent un grand chaudron d'eau au-dessus des flammes. Ils entendaient le loup qui descendait dans le conduit de la cheminée. L'eau dans le chaudron commença à frémir. Le loup descendait toujours. L'eau dans le seau se mit à bouillonner. Puis ils entendirent le loup glisser le long du conduit et le virent s'écraser dans le chaudron d'eau bouillante. SPLASH !

« AAARRRRHHHHGG ! » hurla le grand méchant loup en bondissant hors du chaudron d'eau bouillante. Les trois petits cochons couraient tout autour de la pièce, cherchant à échapper au loup, qui lui-même courait tout autour de la pièce pour tenter de se rafraîchir, jusqu'à ce qu'il fonce droit dans le mur de pierre. Dans le mur se découpait la silhouette du grand méchant loup, qui fuyait en courant et hurlant à travers bois. Ce fut la dernière image que laissa le grand méchant loup aux trois petits cochons.

Les trois frères savaient à présent que le loup avait été vaincu et qu'il ne reviendrait plus jamais les embêter. Ils décidèrent de bâtir une nouvelle maison, à l'aide de pierres solides et résistantes. Ils construisirent des tables en bois chaud et doux, puis réunirent des bottes de paille fraîche et odorante, pour confectionner des lits confortables. Aucune maison au monde n'était mieux bâtie que la leur, et ils y vécurent heureux très longtemps.

Le cadeau d'anniversaire

Ce matin-là Tom se réveilla tout excité, c'était le jour de son anniversaire. Lorsqu'il descendit prendre son petit-déjeuner, il trouva sur la table une pile de cadeaux. Tom les ouvrit, les uns après les autres. Il y avait un magnifique livre d'images représentant des animaux sauvages, une petite voiture de course et une casquette de coureur. Tom était ravi de ses cadeaux, mais où était celui de ses parents ?

 « Ferme les yeux et tends tes mains ! » dit sa mère. Lorsqu'il ouvrit les yeux, Tom tenait un grand paquet rectangulaire entre ses mains. Il déchira le papier d'emballage et découvrit une boîte. À l'intérieur de la boîte était rangé un superbe train électrique.

Tom admira un moment ce superbe train électrique, sans le sortir de sa boîte, ni même oser le toucher. Il y avait une locomotive et six wagons, soigneusement rangés, couchés sur le côté. Tom sortit délicatement la locomotive de la boîte. Puis il monta le circuit. Très vite le train se retrouva à circuler autour de la chambre. Puce, le chat vint observer le manège. Un tour après l'autre, il observait le petit train qui cheminait, mais le tour suivant, il lui donna un coup de patte et le train dérailla. La locomotive et les six wagons furent projetés en l'air, avant de s'écraser au sol. « Regarde ce que tu as fait ! » cria Tom en ramassant son train. Les wagons n'étaient pas abîmés, mais la locomotive qui avait heurté le bord de son lit était cabossée.

Tom ne décolérait pas. « Mon train est fichu ! » criait-il.

« Ne t'inquiète pas, Tom ! dit sa mère. Nous ne pouvons pas le rapporter au magasin tout de suite, mais nous le porterons demain matin chez le réparateur. Je suis sûre qu'il arrivera à remettre ta locomotive en état. » Tom joua avec son circuit de voiture, essaya sa nouvelle casquette et lut son nouveau livre, mais en réalité, il ne souhaitait rien d'autre que jouer avec son train électrique. Il partit se coucher en laissant la locomotive par terre, près de son lit.

Le lendemain matin, la première chose que fit Tom en s'éveillant fut de jeter un œil à sa pauvre locomotive. Il la ramassa et s'apprêtait à inspecter les dégâts de plus près, mais à sa grande surprise, il n'y avait plus aucune trace de l'accident de la veille. Il n'en croyait pas ses yeux ! Il courut voir ses parents. « Regardez ! Regardez ! » criait-il. Ils furent aussi surpris que lui. La locomotive fonctionnait parfaitement et Tom joua avec son train toute la journée – bien évidemment en interdisant l'entrée de sa chambre à Puce !

La nuit suivante, Tom ne réussit pas à s'endormir. Il tournait et se retournait dans son lit. Tout à coup, il entendit un bruit. C'était le train électrique, qui filait le long du circuit. Il scruta la pénombre et parvint à distinguer la silhouette du petit train qui cheminait à vive allure. Comment le train avait-il pu se mettre en marche ? C'était impossible ! Puce s'était peut-être glissé dans sa chambre et avait appuyé sur l'interrupteur ? Alors que ses yeux s'habituaient peu à peu à la pénombre, Tom distingua des formes dans les wagons. Qui étaient ces mystérieux passagers ? Il sortit de son lit et s'approcha du circuit. Il voyait à présent nettement les passagers, des gens coiffés d'étranges chapeaux pointus et vêtus de costumes de feuilles. « Des elfes ! » se dit Tom.

C'est alors qu'un des elfes aperçut Tom. « Bonjour ! cria-t-il au moment où le train repassait devant lui. Nous avons vu que ton train était cassé. Nous avions tellement envie de faire un tour que nous l'avons remis en état. J'espère que cela ne t'embête pas ! » Tom interloqué ne parvint pas à décrocher un mot. « Viens avec nous », dit l'un des elfes, alors que le wagon s'approchait à nouveau.

Au moment où le train passa devant lui, l'elfe se pencha à l'extérieur du wagon et attrapa la main de Tom. Ce dernier se sentit emporté dans les airs et se retrouva assis aux côtés de l'elfe, dans son propre train ! « C'est parti – accroche-toi ! » lança l'elfe, au moment où le train quittait son circuit pour traverser la fenêtre et filer dans la nuit noire.

« Alors, où aimerais-tu aller ? Qu'est-ce que tu voudrais voir ? » demanda l'elfe.

« Le pays des jouets ! » répondit Tom sans hésiter. Le train s'engagea le long d'une voie qui serpentait, en grimpant à l'assaut d'une montagne de sucre blanc et rose. Aux abords de la voie, des jouets vaquaient à leurs occupations quotidiennes. Tom aperçut une poupée de chiffon grimper dans une petite voiture en métal étincelante. Un marin en bois miniature mit la voiture en marche, à l'aide d'une grosse clé, et la poupée de chiffon s'éloigna. Il vit trois oursons en peluche partir à l'école, avec leur cartable sur le dos. Il remarqua un clown en habits de carnaval en train de jouer du tambour.

Le train s'arrêta. Tom et les elfes descendirent des wagons. « Maintenant, place aux jeux ! » dit l'un des elfes. Le train s'était arrêté au niveau d'un champ de foire. Tom trouva l'endroit très différent des champs de foire qu'il connaissait. Au pays des jouets, tout était réel. Les chevaux du manège étaient de vrais chevaux. Les autos tamponneuses étaient de vraies autos. La fusée dans laquelle il grimpa était une vraie fusée, qui l'emporta vers la Lune et le ramena !

« Il est temps de rentrer, Tom, finit par dire un des elfes. Le jour va bientôt se lever. » Tom remonta à contrecœur dans le train et ne tarda pas à s'endormir. Il se réveilla le lendemain matin, dans son lit. Le train était immobile sur le circuit. Mais dans un des wagons il trouva un morceau de papier, couvert de minuscules pattes de mouches, et put y lire : Nous espérons que tu garderas un bon souvenir du pays des jouets – les elfes.

Le loup et les sept chèvres

Il était une fois une vieille chèvre, mère de sept chevreaux. Ils vivaient tous dans une minuscule maison, à la lisière d'une vaste et sombre forêt. Un jour, la maman chèvre se rendit dans la forêt, à la recherche de nourriture. Avant de partir, elle appela ses sept petits et leur dit :

« Les enfants, promettez-moi lorsque je serai partie de fermer la porte à clé et de faire attention au méchant loup. Si vous l'apercevez, ne le laissez pas entrer, il n'hésiterait pas à vous dévorer. Vous le reconnaîtrez à sa grosse voix et à ses grosses pattes noires. »

« Oui maman ! répondirent les petits chevreaux. Nous te promettons de faire bien attention. »

La maman chèvre s'éloigna en trottinant gaiement vers la forêt, et les petits chevreaux refermèrent la porte de la maison. Peu de temps après, ils entendirent taper à la porte. Une voix appelait, « ouvrez la porte, les enfants, c'est votre maman. J'ai un cadeau pour chacun de vous. »

Mais les petits chevreaux se rendirent compte que cette voix bourrue n'avait pas la douceur de celle de leur mère. Ils répondirent aussitôt :

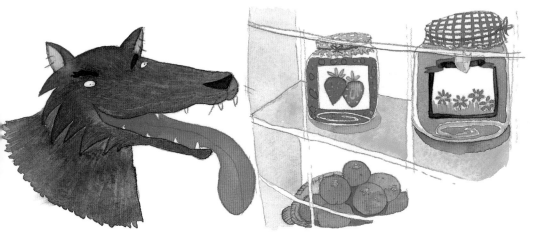

« Non ! Nous ne te laisserons pas entrer. Ce n'est pas la douce voix de notre maman. Tu as une grosse voix et tu es le loup ! »

Le loup rusé se rendit à l'épicerie et acheta un pot de miel. Il avala aussitôt le miel pour s'adoucir la voix, puis retourna à la petite maison, à l'orée de la forêt. « Ouvrez la porte les enfants ! lança-t-il de sa nouvelle voix suave. C'est votre maman. J'ai un cadeau pour chacun de vous. »

Cette fois, les petits chevreaux entendirent une voix douce, mais dans son empressement à pénétrer dans la maison, le loup avait déjà posé ses grosses pattes noires sur le rebord de la fenêtre. Les petits chevreaux s'écrièrent : « Non, nous ne te laisserons pas entrer. Notre maman a de jolies pattes blanches et tu as les pattes noires. Tu es le loup ! »

Le loup retourna au village et se rendit à la boulangerie. Il vola un peu de farine, pour s'en saupoudrer les pattes. Le loup retourna

à la petite maison, à la lisière de la forêt. « Ouvrez la porte les enfants ! appela-t-il à nouveau. C'est votre maman. J'ai un cadeau pour chacun de vous. »

Les petits chevreaux entendirent la douce voix de leur mère, mais ils n'apercevaient pas ses pattes. « Montre-nous tes pattes, pour voir si tu es bien notre maman. » Le loup souleva ses pattes blanches de farine. Les petits chevreaux pensèrent cette fois qu'il s'agissait bien de leur mère et ouvrirent la porte.

Le loup se précipita à l'intérieur. Les petits chevreaux hurlèrent et tentèrent de se cacher. Le premier sauta dans un tiroir, le second rampa sous le lit, le troisième s'enfouit sous les draps, le quatrième sauta dans un placard, le cinquième rentra dans le four, le sixième se glissa sous l'évier et le petit dernier entra dans l'horloge du grand-père. Le loup les trouva et les dévora tous – à l'exception du plus jeune, dissimulé dans le coffre de l'horloge. Lorsqu'il eut terminé son repas, le loup rassasié sentit le sommeil le gagner. Il sortit de la maison et se rendit dans la clairière

proche, s'allongea sur un lit de feuilles mortes et s'endormit aussitôt.

Lorsque la maman chèvre rentra de la forêt, elle s'aperçut avec horreur que la porte de la maison était ouverte. Les meubles étaient renversés et les petits chevreaux avaient disparu. Elle commença à les appeler chacun par leur nom, mais personne ne lui répondit, jusqu'à ce qu'elle prononce le nom du plus jeune, toujours caché dans le coffre de l'horloge du grand-père. Sa mère s'empressa d'aller le chercher. Il lui raconta ce qui était arrivé à ses frères et à ses sœurs.

La mère sortit de la maison en courant, suivie du petit chevreau qui trottinait derrière elle. Ils trouvèrent le loup endormi dans la clairière.

La chèvre l'observa attentivement et remarqua six bosses qui semblaient bouger au niveau de son ventre rebondi. « Mes petits sont encore en vie ! » s'exclama-t-elle de joie.

Très vite, elle demanda au plus jeune chevreau de lui ramener de la maison une paire de ciseaux, du fil et une aiguille. Alors que le loup était toujours profondément endormi, elle entailla délicatement son ventre. Un petit chevreau ne tarda pas à pointer sa tête, puis un autre, et un autre, jusqu'à ce que tous les six soient enfin libres. Ils sautaient de joie. Aucun n'avait été blessé, car le loup dans son empressement les avait dévorés tout entiers.

« Dépêchez-vous ! cria la maman chèvre. Ramenez-moi des cailloux de la rivière, de façon à ce que je remplisse le ventre du

méchant loup. » Chacun des petits chevreaux rapporta un caillou que
la mère glissa dans le ventre du loup, avant de le recoudre.

Le loup s'éveilla enfin, assoiffé. « Qu'est-ce qu'il m'arrive ? se dit-il.
Je n'aurais pas dû dévorer toutes ces chèvres en même temps. Je dois
avoir une indigestion. » Il voulut se rendre à la rivière pour s'y
désaltérer, mais son ventre était si lourd qu'il parvenait à peine à
marcher. Il tituba jusqu'à la berge et alors qu'il se penchait pour boire,
le poids des cailloux dans son ventre entraîna le loup dans la rivière,
où il sombra et se noya. La maman chèvre et ses petits chevreaux qui
avaient assisté à la scène dansèrent de joie. Jamais plus ils n'eurent
à redouter le méchant loup !

Petit Jean
et son frère Paul

Petit Jean était un garçon chanceux. Il avait une belle maison et des parents aussi gentils que l'on puisse espérer. Il avait un grand jardin, avec une balançoire et une cage de gardien de foot. Dans le jardin se dressaient de grands arbres aux troncs solides, que le petit garçon pouvait escalader, pour jouer dans les branches. Petit Jean adorait son école, où il se rendait avec joie chaque jour, retrouver ses nombreux amis. En fait, presque tout était parfait dans la vie de Petit Jean. Presque tout, à l'exception d'une chose – son frère, Paul.

Paul était un méchant garçon. Pire que tout, à chaque fois qu'il faisait une bêtise – ce qui était presque toujours le cas – il s'arrangeait pour faire porter la faute sur quelqu'un d'autre. Et ce quelqu'un d'autre était bien souvent le pauvre Petit Jean !

Un jour, Paul versa du sel dans le sucrier, à la place du sucre. Dans l'après-midi, les parents de Petit Jean et de Paul reçurent des amis pour le café. Tous les invités versèrent du sel dans leur tasse de café, pensant qu'il s'agissait de sucre. Parce qu'ils étaient bien élevés, ils n'osèrent pas dire que leur café avait vraiment un drôle de goût ! Mais lorsque les parents des deux garçons goûtèrent leur café, ils surent immédiatement que quelqu'un leur avait joué un mauvais tour. Ils s'excusèrent auprès de leurs invités, à qui ils servirent de nouvelles tasses de café. Et qui fut accusé ? Petit Jean bien évidemment ! Paul avait saupoudré de sel le sol de la chambre de Petit Jean, ce qui en faisait un coupable tout désigné pour sa mère.

Une autre fois, alors que Paul et Petit Jean jouaient au foot dans le jardin, Paul sans le faire exprès envoya le ballon contre la fenêtre et brisa la vitre. Paul partit aussitôt se cacher. Lorsque leur père sortit, il aperçut Petit Jean et le pauvre garçon fut à nouveau jugé responsable.

Un jour, Augustine, la tante de Paul et Petit Jean, fut invitée à la maison. C'était une dame très gentille, qui détestait toutes les créatures rampantes et à sang-froid, et plus particulièrement les grenouilles. Que fit Paul ? Il se rendit à la mare du jardin, puis captura une grosse grenouille verte qu'il glissa dans le sac à main d'Augustine. Lorsque Augustine ouvrit son sac à main pour sortir ses lunettes, elle aperçut deux gros yeux de grenouille qui la dévisageaient.

« Croa ! » lança la grenouille.

« Hiiiiiii ! » hurla Augustine en sursautant.

« Petit Jean, je t'avais dit de ne pas faire ça », lança Paul.

Petit Jean était sur le point d'ouvrir la bouche pour protester lorsqu'il entendit sa mère hurler : « Petit Jean, monte dans ta chambre immédiatement, et ne redescends pas avant que je te le demande ! »

Le pauvre Petit Jean rejoignit sa chambre où il resta jusqu'après
le souper. Paul jubilait.

Le jour suivant, Paul décida de jouer un autre mauvais tour à Petit
Jean. Il se rendit dans l'abri de jardin et sortit les outils, l'un après
l'autre. Alors qu'il pensait que personne ne l'observait, il cacha tous
les outils dans l'armoire de la chambre de Petit Jean. Il dissimula la
pelle, la fourche, l'arrosoir, la truelle – en fait tous les outils, à
l'exception de la tondeuse, trop lourde pour qu'il puisse la déplacer.

Mais cette fois, la mauvaise blague de Paul tourna court. Augustine,
sa tante, l'avait vu se faufiler dans la chambre de Petit Jean, avec les
outils de jardin.

Elle comprit immédiatement ce que Paul cherchait à faire. Lorsque
Paul fut reparti, elle alla parler à Petit Jean. Tous deux chuchotèrent
durant quelques secondes, puis leur visage s'éclaira d'un sourire
triomphant.

Un peu plus tard dans la journée, le père de Paul et de Petit Jean se rendit dans l'abri de jardin, dans l'intention de jardiner un peu. Surpris, il s'aperçut que tous les outils avaient disparu, à l'exception de vieux pots de fleurs et de la tondeuse. Il chercha ses outils en vain. Il regarda derrière le tas de compost, sous les marches de l'escalier du jardin, derrière le tas de sable et dans le garage. Il ne savait plus où chercher.

Il se décida à chercher dans la maison. Il inspecta les placards de la cuisine, puis fureta sous les escaliers, avant que son regard soit attiré par quelque chose au sommet des marches. Le manche de la pelle de jardin dépassait de la porte de la chambre de Paul. Intrigué, il monta les marches et pénétra dans la chambre de Paul. Il trouva tous ses outils, soigneusement rangés dans le placard.

« Paul, viens ici immédiatement ! » cria son père.

Paul qui ne se doutait de rien grimpa nonchalamment les escaliers. Soudain, il aperçut tous les outils de jardin qu'il avait dissimulés dans l'armoire de Petit Jean et qui se trouvaient à présent dans son armoire. Il resta sans voix.

« Bien ! dit son père. Avant d'aller jouer, ramène tous ces outils dans l'abri de jardin. Ensuite tu tondras la pelouse. Puis tu bêcheras les parterres de fleurs, et ensuite tu pourras t'amuser. »

Il fallut des heures à Paul pour terminer ses travaux de jardinage. Petit Jean et sa tante Augustine l'observaient par la fenêtre en riant. Paul ne sut jamais comment les outils de jardin s'étaient retrouvés dans sa chambre. Mais je pense que vous avez deviné, non ?

Chasse interdite !

Monsieur Lapin ouvrit les yeux et bâilla longuement. Il se dit que c'était une journée idéale pour aller se promener et grignoter les salades du fermier. Il pensait même qu'il pourrait ensuite se rendre au potager, et pourquoi pas goûter aux carottes. Il sortit la tête de son terrier, scruta les alentours, afin de s'assurer de l'absence de tout danger. Puis il dressa ses oreilles, les orienta à droite et à gauche, à l'écoute de tout bruit suspect. Enfin, il huma l'air, à droite et à gauche, afin de s'assurer de l'absence de toute odeur suspecte. Rien à signaler ! Il sauta hors de son terrier.

Mais à peine avait-il fait quelques pas, qu'il entendit un sifflement perçant – une balle de fusil venait de lui frôler la tête. Monsieur Lapin retourna d'un bond dans son terrier, tremblant de peur.

« Mon Dieu, la chasse aux lapins est ouverte ! » dit-il encore haletant. Il réunit sa famille de jeunes lapins et leur parla : « Les enfants, écoutez-moi attentivement ! dit-il. La saison de la chasse aux lapins a commencé, je vous demande de rester à l'abri dans le terrier, jusqu'à la clôture de la chasse. Je sortirai cette nuit, pour ramener de quoi manger. »

Ses enfants le regardèrent désemparés. « Mais il fait si beau dehors, lancèrent-ils en chœur. Nous serons très prudents. »

Monsieur Lapin ne voulut rien entendre. Il insista pour que ses petits restent dans le terrier, jusqu'à la fin de la saison de chasse.

Durant quelques jours, les jeunes lapins s'amusèrent comme ils purent, en jouant à cache-cache. Mais bientôt, ils commencèrent à s'ennuyer. Finalement, ils décidèrent qu'il fallait faire quelque chose pour mettre un terme à la saison de chasse.

Tom, l'aîné des enfants de Monsieur Lapin, se porta volontaire, bien décidé à arrêter les chasseurs. Lorsque la nuit fut venue, il rampa hors du terrier et partit en direction de la cabane des chasseurs.

Il faisait nuit noire et les chasseurs étaient probablement endormis,

mais Tom tremblait pourtant de peur. Il arriva bientôt en vue de la cabane. Elle se dressait au milieu d'une clairière, dans les bois. L'intérieur de la cabane était sombre et Tom espérait que les chasseurs étaient endormis. « Si je creuse de grands trous, pensa-t-il, ils tomberont dedans demain matin et seront incapables d'en sortir. D'ici là, la saison de chasse sera terminée. »

Il commença donc à creuser frénétiquement, comme jamais il n'avait creusé. Il y eut bientôt des trous partout, devant la porte de la cabane des chasseurs. Très fier de lui, mais très fatigué, Tom reprit le chemin de son terrier, juste avant que le jour se lève.

Lorsque les chasseurs s'éveillèrent, ils sortirent de la cabane, mais pas un ne tomba dans un trou ! Pauvre Tom, il avait creusé tant de trous, sans savoir que la cabane disposait de deux portes, et que les chasseurs étaient sortis ce matin-là par l'autre porte !

Suzanne, la fille aînée de Monsieur Lapin, se porta alors volontaire, bien décidée à arrêter les chasseurs. Lorsque la nuit fut venue, elle rampa hors du terrier et partit en direction de la cabane des chasseurs. En arrivant à la cabane, elle remarqua que la fenêtre était ouverte et décida de pénétrer à l'intérieur. Elle aussi était effrayée, mais la seule pensée de jours entiers dans le terrier, à attendre la fin de la saison de chasse, suffit à lui redonner courage.

À l'intérieur de la cabane, elle vit les chasseurs endormis dans leurs lits. Elle observa la pièce, se demandant bien ce qu'elle pouvait faire pour les empêcher de chasser. Soudain, elle aperçut les vêtements des chasseurs sur une chaise. En un instant elle sauta sur la pile de vêtements et commença à les grignoter. En un rien de temps, les vêtements se retrouvèrent en lambeaux. « Cela devrait les arrêter, se dit Suzanne. Ils ne peuvent pas chasser sans leurs vêtements ! »

Satisfaite de son travail, elle revint au terrier, alors que l'aube pointait.

Lorsque les chasseurs s'éveillèrent, ils sortirent sans attendre et partirent à la chasse ! Pauvre Suzanne, elle avait mâchonné tous ces vêtements, sans se douter qu'il s'agissait de vêtements de rechange ! Les chasseurs s'étaient couchés tout habillés, afin de pouvoir repartir plus rapidement à la chasse le lendemain matin.

Enfin, Pénélope, la plus jeune des enfants de Monsieur Lapin, se porta alors volontaire, bien décidée à arrêter les chasseurs.

« Ne sois pas stupide ! dit Tom à sa petite sœur. Tu es bien trop jeune pour sortir seule la nuit. »

« Et puis, rajouta Suzanne, que comptes-tu faire pour arrêter les chasseurs ? »

« Je trouverais bien quelque chose », dit Pénélope, qui était très maligne.

La nuit venue, elle se faufila hors du terrier et prit la direction de la cabane des chasseurs. La fenêtre était ouverte, comme la veille, et Pénélope sauta à l'intérieur de la cabane. Elle regarda au sol, regarda dans les placards, puis sous les lits, mais elle ne trouva rien qui puisse arrêter les chasseurs.

Puis elle leva les yeux au plafond et une idée lui traversa l'esprit. Sur la table était posé un calendrier, à la date du jour. Pénélope sauta sur la table et commença à tourner les pages. Elle s'arrêta à la page sur laquelle était écrit : FIN DE LA SAISON DE LA CHASSE AUX LAPINS. Satisfaite de son travail, Pénélope sortit de la cabane en sautant par la fenêtre et revint à son terrier.

Au petit matin, les chasseurs s'éveillèrent, frottèrent leurs yeux ensommeillés et se levèrent. L'un d'eux regarda le calendrier. « Oh non ! s'exclama-t-il soudain. Regardez quel jour on est ! La saison de la chasse aux lapins est terminée. »

Sur ce, les chasseurs (trop stupides pour s'être rendus compte que quelqu'un avait tourné les pages du calendrier) rangèrent leurs affaires et rentrèrent chez eux. Tout redevint calme dans la clairière, et les lapins purent à nouveau gambader librement, en toute sécurité.

Le chat botté

Il était une fois un meunier qui avait eu trois fils. À sa mort, le meunier laissa son moulin à l'aîné de ses fils. Au second, il laissa son âne, celui avec lequel il transportait et livrait ses sacs de farine. Au plus jeune de ses fils, qui était aussi le plus beau des trois, il laissa seulement un gros chat, dont le travail consistait à chasser les souris qui perçaient les sacs et volaient les grains de blé.

Le pauvre garçon se demandait bien de quoi il allait vivre, avec son chat pour seule compagnie. Il décida d'aller chercher fortune en parcourant le monde. « Je dois me résoudre à t'abandonner, dit-il au chat. Je ne vois pas comment je pourrais faire pour m'occuper de toi. »

« Et que dirais-tu si je m'occupais de toi ? » répondit le chat.

« Qu'est ce que cela signifie ? » demanda son maître.

« Je pourrais faire ta fortune, ajouta le chat. Tout ce dont j'ai besoin c'est d'un grand sac et d'une paire de belles bottes, pour mes pattes arrière. »

Le jeune homme fut très surpris, mais il se dit qu'il valait mieux laisser le chat tenter de faire fortune, car lui-même n'avait aucune idée de la façon dont il pourrait s'y prendre.

Chaussé de sa paire de bottes toutes neuves et avec son grand sac jeté par-dessus son épaule, le chat se mit en route, avec rien d'autre qu'une poignée de grains de blé du moulin.

Il commença par se rendre au terrier de lapins de garenne le plus proche. Il ouvrit son sac, y déposa un peu de grains de blé et l'installa près de l'ouverture du terrier. Puis le chat attendit, jusqu'à la tombée du jour, à l'heure où les lapins sortent de leurs terriers. Un lapin curieux pointa le bout de son nez et sauta dans le sac. Le chat s'empressa de bondir et de refermer le sac. Mais au lieu de ramener le lapin à son maître, il prit la direction du palais, où il fit savoir qu'il avait un présent pour le roi.

« Votre Majesté ! dit le chat, en exécutant une profonde révérence, je suis le messager du marquis de Carabas, votre voisin. Il était à la chasse ce matin et la chance a voulu qu'il capture un jeune et beau

lapin. Il lui plairait que vous l'acceptiez comme présent. »

Le roi était très surpris, car il n'avait jamais entendu parler de ce marquis, mais il accepta volontiers le lapin. « Dis à ton maître que je suis ravi de son cadeau », dit-il.

Jour après jour, le chat attrapait des lapins et les offrait à chaque fois au roi. « N'oublie pas, dit-il à son maître, tu es supposé être un marquis. » Le jeune homme n'avait pas la moindre idée de ce que voulait dire le chat, mais néanmoins, il avait confiance en lui. Au bout d'un moment, le chat commença à être invité par les gardes du palais, avec qui il buvait un verre et bavardait. Il ne tarda pas à être informé de tous les commérages de la cour. Un jour, le chat entendit dire que le roi envisageait de partir le lendemain en voyage, accompagné de sa fille, la plus belle princesse du pays. Le chat réussit à savoir qu'elle serait leur itinéraire.

Le lendemain matin, il dit à son maître : « Je pense que ce serait une bonne idée d'aller nager à la rivière ce matin. » Le jeune homme accepta, mais il lui suffit de regarder le chat dans les yeux pour savoir qu'il avait une idée en tête. Le chat conduisit son maître à l'endroit de la rivière où il savait que devait passer le carrosse royal. Alors que le jeune homme se baignait dans la rivière, le chat entendit le bruit du carrosse qui approchait. Très vite, il alla dissimuler les vêtements de son maître sous un rocher. Alors que le carrosse était en vue, il se précipita sur la route et hurla :

« À l'aide ! Le marquis de Carabas est en train de se noyer ! »

Le roi reconnut le chat et ordonna à ses gardes de se porter au secours du marquis. Le jeune homme faisait semblant d'avoir perdu connaissance et les gardes eurent le plus grand mal à le ramener sur la berge.

Pendant ce temps, le chat qui s'était approché du carrosse s'inclina devant le roi et dit : « Mon maître se baignait et s'est fait dérober tous ses vêtements par une bande de voleurs. Il ne peut se présenter ainsi devant votre fille. »

« Bien évidemment », répondit le roi, qui envoya un de ses domestiques prendre des vêtements de rechange à l'arrière du carrosse.

Le beau jeune homme était à présent correctement vêtu, et le roi fut heureux de se voir enfin présenter le mystérieux marquis, dont le chat lui avait tant parlé. Il accueillit le « marquis » dans son carrosse, et l'invita à s'asseoir près de la princesse.

« Faites donc un bout de chemin avec nous, mon cher marquis », dit le roi.

Sans dire un mot de plus, le chat s'éloigna et disparu au coin de
la route. Le temps que le carrosse doré reparte, le chat était déjà très loin.
Il traversa bientôt un champ où travaillaient des paysans. « Braves gens !
dit le chat. Pouvez-vous dire au roi que cette prairie appartient au marquis
de Carabas – à moins que vous ne préfériez que je vous taille en pièces ? »

Le chat savait que cette prairie était en réalité la propriété d'un ogre,
connu pour avoir le don de changer d'apparence à volonté. Ainsi,
les paysans ignoraient s'ils avaient affaire à un chat ordinaire ou bien
à l'ogre. Dès que le carrosse royal arriva et que le roi s'enquit de savoir
à qui appartenait le champ, les paysans répondirent en chœur :
« Au marquis de Carabas, votre Majesté ! »

Vous avez une bien belle terre ! » dit le roi, en poussant du coude
le jeune homme occupé à converser avec la princesse.

L'histoire se répéta tout le long de la route. Le chat devançait toujours
le carrosse royal. Bûcherons, bergers et fermiers assuraient tous que le

marquis de Carabas était leur maître. Il est vrai que le chat les menaçait à chaque fois de les mettre en pièces s'ils n'obéissaient pas. Le chat arriva enfin à un château qu'il reconnut comme étant celui de l'ogre.

Le chat se présenta à la grande porte et demanda à parler à l'ogre. Il dit à l'ogre : « On prétend que vous pouvez vous transformer à volonté – en lion par exemple. Mais je ne pense pas que ce soit vrai. »

L'ogre fut à ce point offensé qu'il hurla : « EH BIEN, REGARDE ! » avant de se transformer aussitôt en lion. Le chat fit mine d'être effrayé et grimpa sur le toit du château. L'ogre reprit son apparence d'ogre. « Cela te suffit ? » grogna-t-il.

« Vous m'avez fait une belle frayeur, dit le chat. Vous savez, les gens racontent que vous pouvez même vous transformer en un animal minuscule, comme un rat ou une souris. C'est absurde. D'ailleurs c'est impossible. »

« IMPOSSIBLE ? » hurla l'ogre, qui dans un accès de folie se métamorphosa aussitôt en souris.

Au même instant, le chat se jeta sur lui et l'avala d'un trait. À ce moment-là, le carrosse royal passa le pont-levis, car le roi qui avait aperçu le château était curieux de savoir qui l'occupait.

« Bienvenue au château du marquis de Carabas, votre Majesté »,
dit le chat, qui venait juste d'essuyer les dernières miettes de l'ogre
collées à ses moustaches.

« Comment ! dit le roi en se tournant vers le jeune homme.
Ce château est aussi à vous ? »

Le roi, la princesse et le fils du meunier firent le tour du château.
Un très beau château. Les domestiques de l'ogre heureux d'être
débarrassés de leur maître organisèrent une grande fête. Après le repas,
le roi accepta de donner la main de sa fille au marquis.

Le maître du chat reconnaissant fit de lui un seigneur. Tous vécurent
heureux au château et le chat n'eut plus à chasser une souris le restant
de sa vie.